D1407263

COLLECTION FOLIO

François Boyer

Jeux interdits

Denoël

*« Lion d'Or » au Festival de Venise en 1952, « Oscar » du scé-
nario à Hollywood en 1955, unanimement désigné par la critique
comme l'un des « dix meilleurs films de tous les temps », le film de
René Clément et François Boyer réapparaît actuellement sur les
écrans français. L'accueil triomphal qu'il reçoit, renouvelant ainsi
le prestigieux succès de jadis, ne doit pas faire oublier l'œuvre lit-
téraire qui l'a inspiré.*

*Bien avant la réalisation du film, le roman de François Boyer
était traduit en 17 langues, bénéficiait de nombreuses éditions de
clubs de livres et se vendait à plus d'un million d'exemplaires aux
États-Unis.*

*Roger Martin du Gard le signalait en ces termes à André Gide :
« ... Vous recommande un petit roman récent (...). Psychologie
d'enfant savoureuse. Et l'ouvrage par sa sobriété, sa densité, la
finesse et la cruauté de l'observation, est très personnel. Le nom de
cet auteur est à retenir. »*

Correspondance Gide-Martin du Gard.
Lettre 779, 10 août 1947.

La colonne se remit en marche péniblement, comme un long ver de terre. La tête avance, la queue s'arrête, la queue avance, la tête s'arrête. Paulette aplatie contre le sol releva la tête, et vit soudain des pieds, des pieds, des pieds, des jambes, des jambes.

A son tour elle se dressa, poursuivit sa marche, puis chercha distraitement à reconnaître les pieds de son père, car désormais il était impossible de se fier aux chaussures. Tout le monde, ou presque, marchait pieds nus. Çà et là, quelques savates trouées, des sabots épars, mais immobiles et vides.

Paulette examina les pieds saignants : du sang rose, du sang mauve, du sang jaunâtre, du sang sale et bleuté, du sang rouge coquelicot, rouge framboise, rouge cerise, rouge groseille, rouge tomate, rouge fraise. Paulette se mordit l'index sauvagement, pour voir. Mais son doigt ne saigna pas. Il y eut deux petites marques, infimes, violacées.

— Rouge sang, dit-elle sans conviction.

Un remous l'entraîna vers le bas-côté.

Son père, c'était presque noir, se souvint-elle. Il saignait depuis la veille, et le matin, au petit jour, il avait une espèce de fruit sale, écrasé près du talon droit, une mûre durcie. Paulette vit bien quelques fruits noirs : des prunelles un peu violettes, des cerises un peu rouges, mais elle ne vit pas de mûre écrasée, vraiment noire...

Un instant un chien vint tourner autour d'elle, puis rentra dans la mêlée confuse. Elle conserva un peu la vision de quatre pattes blanches, presque propres, puis se tourna et observa l'immense cortège. La route piquait vers le pont, puis s'élevait lentement le long de la colline voisine. Une rumeur sourde l'animait comme une multitude de cris d'animaux étouffés. Et soudain Paulette remarqua l'innombrable foule des bêtes qui suivaient les hommes. Des chiens, des chats, des veaux, des bœufs, des ânes, des chevaux, des chèvres, des moutons, des vaches, des porcs. Mentalement Paulette y ajouta des lapins, des lièvres, des biches, des éléphants, des lions, des tigres, des souris, des scarabées, des fourmis, des girafes, des ours, des vipères, des carpes, des brochets, des requins, et une baleine. Puis elle pensa à l'avion qui tout à l'heure mitraillait la route et le vit piloté par un grand loup casqué de fer. Il avait lâché quelques bombes, et tous les animaux s'étaient précipités dans les fossés, laissant les hommes au beau milieu de la route, stupides, courant de tous côtés, ne comprenant rien à rien à ce qui leur arrivait. Leurs grands corps s'étaient heurtés, meurtris, quelques-uns s'étaient affalés lourdement sur le sol, d'autres s'étaient enfuis dans les champs, droit devant eux dans une course éperdue. Puis l'avion s'était éloigné, et un à un les animaux avaient repris leur marche en un parfait mépris des hommes qui les accompagnaient. Quelques-uns toutefois avaient tenté de les rappeler : les chiens en aboyant, les chats en miaulant, les chevaux en hennissant, les lions en rugissant. Mais nombre d'entre eux restant étendus sur la route, les animaux négligemment avaient repoussé leurs corps dans les fossés : les chiens de leurs pattes, les bœufs de leurs cornes, les ânes de leurs oreilles, les chevaux de leurs sabots, les porcs de leurs museaux, les éléphants de leurs trompes, les tigres de leurs moustaches, les souris de leurs queues, les girafes de leurs cous, les vipères de leurs langues, la baleine de ses dents.

— Trou du cul! Avance donc!

Paulette sursauta. Ce n'était pas l'injure qui la choquait, mais on la sortait brutalement de son rêve. L'injure elle s'en moquait, elle pouvait y répondre.

— Ben quoi, j'ai neuf ans! Puis j'avance!

L'homme qui l'interpellait était dressé dans sa voiture à âne. Il y eut soudain un mouvement de reflux tumultueux, et l'âne s'immobilisa avec entêtement. Paulette exulta.

— Avance donc! Trou du cul! trou du cul! trou du cul!

Puis, rapidement elle s'infiltra plus avant dans la marée, dix mètres, vingt mètres. L'homme à l'âne devenait invisible et Paulette ralentit, essoufflée.

— J'aurais pu lui dire « morpion », regretta-t-elle.

Puis elle songea à tous les noms dont on l'avait gratifiée aujourd'hui : garce, bout de chou, mon chou, mon cœur, salope, la môme, la gosse, le rejeton, la petite, la petiote, et puis morpion et trou du cul. Pourquoi s'en serait-elle fâchée? On lui avait dit « mon

cœur » avec une affreuse grimace, et puis « salope »
avec un grand sourire.

« La tête des gens, ça ne veut rien dire », pensait-elle.

Là-haut, le grand loup casqué semblait encore pré-
parer un mauvais coup.

Des grimaces d'hommes, Paulette en avait vu! et des
grimaces de femmes donc! Des visages ridés, en large,
en long, en travers, avec des larmes qui dégoulinaient
comme par un petit ruisseau. Et les femmes qui l'in-
terpellaient, — l'empoignaient, l'embrassaient quand
le grand loup était passé, en l'appelant Lucienne,
Colette, Jacqueline, Jeannette, Monique, Nicole,
Michèle. Et chaque fois c'était pareil, on l'embrassait
jusqu'à l'engluer de salive, et puis on la repoussait
avec une sorte d'horreur.

— C'est pas elle!

Quelles grimaces! Tout compte fait, elle préférait
« morpion », voire même « trou du cul »!

Une seule fois on l'avait appelée Paulette et ce n'était
pas sa mère. Sa mère, elle était morte hier, de la faute
du grand loup.

Une rafale claqua sèche et brutale. Il y eut un grand
mouvement comme pour écarteler la route, et des
vaches, des chiens, des chats, des chèvres, des bœufs,
demeurèrent sur la route, courant en désordre.

Paulette heurta une fourmilière de son nez. Une
fourmi parut, s'arrêta, puis rebroussa chemin, et
rentra en hâte.

Là-haut il y avait l'avion qui revenait, et plus bas, au
ras du sol, une hirondelle le poursuivait. L'hïrondelle
piqua du nez, parvint au niveau de l'avion... Paulette
trépigna :

— Il va gagner, il va gagner!

Un bruit sec, cent fois répété. D'instinct Paulette baissa la tête. Un long sifflement, puis « floc »!

... Pierrette, Suzanne, Simone, Françoise, Titi, Jojo, Mimi, morpion, andouille, merdeuse, Mémène, Nénette, Raymonde... Sa mère elle, disait « Paulette », et son père, l' « autre abrutie »...

Son père...

Paulette vit à deux pas de son nez un fruit noir écrasé sur un talon rugueux, une longue traînée rouge sang, sur la chemise sale, et puis une tache de cerise sur le front.

— Papa!

Papa n'eut pas un geste. Il y avait un chien blanc près de lui, mais papa ne bougeait pas.

Paulette voulut se lever, mais comme le grand loup s'acharnait, elle repiqua du nez dans la fourmilière. Une fois encore, une fourmi fit le tour de son créneau.

« C'est la même », pensa Paulette.

Un chien hurla soudain très proche, et s'enfuit avec un appel de sirène.

— Papa, papa! dit-elle encore.

Et Paulette sentit tout à coup sa gorge serrée. Sa lèvre inférieure s'avança légèrement et se mit à trembler. Sans comprendre, elle essuya une larme.

— Marie! glapit une femme folle en étreignant Paulette, Ginette! Mariette! Toinette!

Un peu de bave coula sur la bouche de Paulette, un peu de bave de femme folle, ajoutée d'une larme salée savoureuse, et pour la première fois elle ne manifesta aucune répulsion.

Au loin un chien imitait toujours la sirène. Papa était maintenant noir au talon, bleu à la chemise, carmin au front.

« Pourquoi je pleure? »

Paulette éclata en sanglots. L'hirondelle victorieuse décrivait de grands cercles, l'avion vaincu s'était enfui.

— Pauvre mignon! dit quelqu'un avec une caresse de couleuvre, quelqu'un qui se mit aussitôt à pousser un cri de femme.

— Ils nous emmerdent les gosses!

— ...pied au cul! on est pressé.

Et Paulette vit la main de couleuvre, écrasée dans une main d'homme, puis deux pieds trébuchants rouge groseille.

Les gens regagnèrent la route un à un, sifflant leurs animaux : sifflet pour le chien, sifflet pour le cheval, sifflet pour la vache, sifflet pour les ânes...

Puis on poussa les cadavres dans le fossé : les hommes de leurs pieds, les femmes de leurs pieds, les garçons de leurs pieds, les filles de leurs pieds. Quelques chevaux, une vache, deux veaux restèrent au milieu de la route, couchés sur le flanc, battant un peu des pattes et le défilé prit un tour sinueux. Il y eut une cavalcade effrénée jusqu'au petit pont, comme si le grand loup ne menaçait qu'un côté de la vallée.

D'ailleurs le grand loup était loin, invisible; il devait certainement ôter son casque de fer, aiguiser ses oreilles, en vue d'une nouvelle charge.

Paulette eût voulu participer à la cavalcade, mais papa la retenait avec ses taches de fruit. Pour une fois Paulette obéissait à papa qui s'abstenait de proférer des injures. Puis ses larmes se tarirent. La cavalcade s'apaisa et il n'y eut plus qu'une grande monotonie dans les mouvements de la route.

Paulette s'agenouilla et resta immobile, sans penser. Le bruit des pas résonnait dans sa tête, et sans voir, distraitement elle identifiait les passants.

« Un cheval, un vieux, un boiteux, une vache, un bossu, un manchot... »

Puis, lasse de l'image de son père, elle dit à mi-voix, comme une vengeance :

— Abruti !

Et soudain terrifiée de sa lâcheté :

— C'est pas vrai ! c'est pas vrai !

Puis à nouveau elle se mit à pleurer.

Très longuement elle demeura sans un mot, sans un geste. Il y eut la rumeur du cortège, le soleil de plomb, l'interminable défilé des mêmes visages, des mêmes pieds, le jaillissement des mêmes cris, des injures, des appels. De temps à autre, le grand loup manifestait de sa présence lointaine, tout là-bas, derrière l'horizon... Encore que Paulette commençât à douter que ce fût vraiment un loup, ou plutôt qu'il fût drôle de se l'imaginer.

Puis la rumeur fut moins sourde, les cris plus espacés, les appels moins durs, les injures moins cinglantes. Des gens passèrent en causant comme tout le monde, et pendant quelques minutes, la route fut vide derrière eux.

Paulette sortit de sa torpeur. Elle vit que papa était noir au talon, noir à la chemise, noir au front, que ses taches de fruit étaient dures et figées. La fourmilière grouillait d'une infinité de minuscules points noirs.

Un autre groupe passa, silencieux. Puis ce fut un chien

noir et blanc qui vint à elle, solitaire, larmoyant, une patte inerte et pendante. Il flaira un instant le corps de papa, puis s'éloigna sans hâte, gémissant faiblement. Paulette bondit et prit la bête dans ses bras. Elle vit deux yeux très gris, très tristes, pitoyables, murmura quelques mots sans suite, très doucement, puis desserra son étreinte. Dans une plainte, le chien se dégagea péniblement.

Une voix résonna dans le grand paysage, clamant sa solitude.

Le chien s'éloignait de la route dans un champ ras, désolé, tout brûlé de soleil.

Au loin un autre flot humain semblait s'approcher à nouveau.

Paulette vit le chien hésiter, chanceler, s'étendre en hurlant sur le dos et battre l'air de ses trois pattes valides.

Alors elle s'élança, sauta le fossé et suivit à son tour le grand champ brûlé.

Dans le creux d'un paysage faiblement vallonné s'étendait le hameau de Saint-Faix.

Il y avait là cinq fermes étales, une petite église, un bistrot, et une remise pour le corbillard.

Une multitude d'animaux peuplait les fermes, les fermiers animaient le bistrot, le curé visitait l'église deux fois par semaine, venant du bourg voisin — pour le catéchisme du jeudi et la messe du dimanche; quant à la remise du corbillard, on l'ouvrait à l'occasion, au fil des ans.

Une petite route très banale, blanche et sèche sous le soleil, grise et gluante sous la pluie, s'insinuait entre les fermes avant de filer vers le bourg le plus voisin d'une part, et un autre bourg moins voisin d'autre part. C'était la route du curé, conduisant au bourg du curé.

Et tout ce paysage eût été d'une désolante aridité, sans le ruban tortueux d'un ruisseau bordé de saules et, çà et là, de broussailles épaisses. C'était un ruisseau comme beaucoup d'autres avec, ici, des eaux profondes et claires, là, un gué large et boueux, un ruisseau avec au fond, des pneus, des chaussures, des culs de bouteille, des bouteilles sans cul, et des goulots cassés, des fils de fer, des vieux caleçons à la dérive, et puis

17

des goujons, des vairons, des bouchons qui nagent.

En prenant la route du bourg le plus proche, on rencontrait, à quelque distance du hameau, une curieuse petite chapelle désaffectée, aux pierres rugueuses, scellées par une sorte de mousse verdâtre, et surmontée d'une haute croix en fer, un peu penchée et branlante. L'édifice s'entourait d'épaisses broussailles désordonnées, et de trois grands arbres plantés en triangle. De là, partait un chemin de terre qui s'éloignait indéfiniment de la route blanche.

Enfin, plus loin encore, sur cette route, il y avait le cimetière, un grand cimetière, planté d'une multitude de croix en fer, en pierre, en bois, dont la plupart se cachaient dans d'immenses herbes folles, un cimetière plus étendu que les cinq fermes de Saint-Faix réunies, et qui laissait supposer que le hameau était riche d'un très lointain passé...

Peut-être donc l'histoire de Saint-Faix était-elle curieuse, mais Saint-Faix négligeait l'Histoire. Et, en cette journée de juin 1940, il apparut clairement que l'Histoire rendait à Saint-Faix un égal mépris.

Sur la grande route voisine, des heures durant, le lent cortège des réfugiés avait troublé la plaine de ses cris, de ses crimes, de ses courses effrénées, de ses plaintes inutiles, de ses rires ineptes et féroces; des heures durant, il y avait eu le bruit des pas qui marchent, des véhicules qui roulent, des roues qui écrasent, qui s'écrasent, qui bousculent, qui renversent et meurtrissent, les colères des hommes, les pleurs des enfants, les rires des enfants, les chants des enfants, les gifles qui corrigeaient les pleurs, les rires et les chants tout ensemble.

Mais Saint-Faix s'étalait à cinq longs kilomètres de la grande route, et l'Histoire, sous forme d'enfants qui chantent et de parents qui giflent avant d'en mourir, l'Histoire ne s'était pas détournée de la grande route, poursuivant sa procession rectiligne. Saint-Faix n'avait rien su, rien vu.

Plusieurs fois pourtant, les échos vallonnés avaient retenti d'un ronflement lointain, puis d'une brève succession de coups sourds et graves. Une fois même un long panache de fumée noire s'était élevé, très loin, là-bas, derrière une colline dans le prolongement de la route blanche. Il y avait eu un curieux choc : la porte de l'Église, faiblement, avait secoué sa poussière et la croix de la chapelle s'était inclinée un peu plus encore. Mais à Saint-Faix personne n'était assez chrétien pour habiter en permanence la chapelle ou l'église et tout le monde ignora ce timide cadeau de l'Histoire.

Ce ne fut qu'au soir tombant que Saint-Faix reçut enfin un présent plus tangible.

Michel Dollé, le premier, l'aperçut, alors que, fort de ses dix ans, il ramenait à la ferme un troupeau de cinq vaches. Comme il approchait du croisement de la chapelle, Michel vit une vache partir au petit trot, tournoyer un instant autour du bouquet d'ormes, puis esquisser un bond et s'immobiliser stupidement face au mur orné de ronces. Les autres vaches, aussitôt, prirent le trot et se figèrent à leur tour. L'une d'elles beugla longuement et rebroussa chemin. Michel lui barra la route, puis la vache s'engagea dans le champ voisin, et tranquillement se mit à brouter, indifférente.

Michel lança une injure. Un long hennissement lui répondit. Alors il courut lui aussi au bouquet d'ormeaux et découvrit, au pied du mur verdoyant, un grand cheval maigre, gris et blanc, tout couvert encore de harnais inutiles. Michel chercha vaguement une carriole voisine, dans le chemin, sous les arbres, sur la route. Mais la route était vide, le chemin désert. Il eut un mot timide pour la bête solitaire. Celle-ci fit un pas, puis se pencha sur l'herbe grasse et fraîche. Michel s'approcha légèrement, mais ce cheval inconnu l'intimidait — il savait que, certains jours, les chevaux de la ferme eux-mêmes ont des gestes dangereusement imprévus.

« Si j'étais grand », pensa-t-il...

Il vit que sans se baisser il parviendrait presque à passer sous les flancs du cheval gris.

Et soudain la queue du cheval l'effraya : courte, raide, durement pointée vers le ciel. A la ferme, les chevaux portaient une longue queue ondoyante, soyeuse, une queue qui pouvait se balancer, s'enrouler, compter les pas, chasser les mouches. Mais devant cette rognure de queue, ce moignon de queue, cette queue d'infirme en quête de béquille, Michel eut un haut-le-cœur. Il se tourna avec dégoût et courut vers le champ voisin.

— Georges! Papa! Raymond! eh! les filles, venez voir!

La famille Dollé ainsi interpellée interrompit son travail. A chaque extrémité des six rangées de betteraves, un corps courbé se dressa.

Une vache fit quelques pas.

— Ho! cria Michel.

Puis :

— Ben quoi? vous venez?

Le père Dollé se tourna en grommelant.

— Y a un cheval gris, cria encore Michel.

Raymond vérifia l'alignement de sa file de betteraves et avança vers le chemin.

— Un cheval? questionna-t-il.

Le père Dollé laissa tomber sa binette et se mit en marche à son tour. Puis les deux filles, Berthe et Renée, eurent un petit rire.

— Un cheval! un cheval!

— Quoi? c'est pas drôle, dit Georges.

Mais il ajouta à son frère Daniel :

— D'où qu'il peut bien venir?

Berthe, Renée, Raymond, Georges, Daniel et leur père, arrivèrent près de Michel.

— Y a point de voiture après, fit-il remarquer.

— C'est pas un cheval, dit le père Dollé. Pas possible! Il a que la peau et les os. Si c'est pas malheureux de soigner ses bêtes comme ça.

— A qui que ça peut être? dit Berthe.

— C'est la première fois que je vois ça, affirma Raymond.

— Moi aussi, reprit Michel. Il a la queue coupée.

Le père Dollé ôta sa casquette, s'épongea le front, remit sa casquette et lança un grand jet de salive jaune tabac.

« Dans l'eau, ça ferait des grands ronds », pensa Michel.

Georges s'approcha du cheval.

— On peut toujours l'emmener. Si c'est quelqu'un qui l'a perdu, il viendra bien le réclamer. Si c'est personne, il nous servira toujours.

Georges fit encore un pas :

— Il a pas l'air mauvais.

Il posa sa main sur la croupe du cheval. Le cheval se

dressa sur ses pattes de derrière et s'écarta vivement. Georges trébucha, lança un juron, puis cria à Raymond :

— Barre le chemin!

Raymond contourna le cheval, immobile à nouveau, et vint se poster au milieu du chemin. Daniel fit un mouvement vers l'animal.

— Laisse-moi, dit Georges.

Encore une fois le père cracha en soulevant sa casquette et tendit légèrement le cou, attentif à la scène.

— S'il avait une queue, on pourrait l'attraper facilement, dit Michel.

Georges s'avançait, une poignée d'herbe dans la main droite. A nouveau le cheval se cabra, mais comme Raymond faisait de grands gestes, il se tourna brusquement et piqua droit vers la famille Dollé. En un clin d'œil, celle-ci fut dispersée. Georges bondit, tenta de s'accrocher aux naseaux, tint bon quelques secondes, puis, secoué par le galop, il lâcha prise, tomba, roula, hurla, piétiné, et resta étendu dans la poussière inerte.

— Ben zut alors! cria Michel qui venait de recevoir une paire de gifles.

— C'est comme ça que tu gardes les vaches? Regarde-les tes vaches!

Les vaches, imitant la famille Dollé, s'étaient disséminées à travers champs.

— Ben et le cheval alors? Qui c'est qui le garde? T'as vu ton cheval?

Michel s'éloigna en courant, caressant sa joue endolorie, non pas à la poursuite des vaches, mais en simple signe de protestation. Il entendit la voix de Berthe qui disait :

— Et Georges, quand même, qu'est-ce qu'il a?

Puis il ralentit et s'arrêta, restant ostensiblement le dos tourné à la famille qui exprimait quelques rumeurs confuses. Il s'assit en bordure du pré, boudeur, souleva légèrement sa jambe droite tendue comme pour évaluer le poids de sa chaussure trop large et pensa qu'il serait bien agréable de marcher pieds nus. Comme personne ne l'appelait, il tourna la tête avec précaution, doucement, doucement, dissimulant au mieux sa curiosité. Décidément, il n'intéressait plus personne, et profondément humilié, il vit son père, ses frères, ses sœurs groupés au milieu de la route, penchés, sans doute sur le corps de Georges. Michel eut un sursaut d'orgueil et voulut se désintéresser de la scène. Il regarda la route, un peu aveuglé de sa blancheur, cligna des yeux et vit le cheval gris qui trottinait là-bas, tout en haut, et disparaissait derrière la petite côte.

— Bien fait!...

Mais irrésistiblement son regard revint vers la famille. Raymond et Daniel portaient Georges l'un par les pieds, l'autre par l'épaule, et Georges se balançait doucement au rythme de leurs pas. Derrière, le père traînait ses sabots avec un petit nuage à chaque pied, et les deux filles suivaient, muettes. Comme le cortège s'approchait, Michel reconnut la voix de Georges :

— Saloperie!

Puis il rejoua l'indifférence. Il se leva et chercha ses vaches du regard. Quatre d'entre elles suivaient Georges et sa suite.

— Ça va...

Il avança à grandes enjambées pour se donner plus d'importance, mais Renée l'arrêta :

— Je les ramène celles-là. Va chercher l'autre.

Michel se demanda où l'autre pouvait bien être, mais il dit simplement :

— Bon.

Il laissa passer le cortège, le suivit des yeux longuement, immobile. Puis son regard glissa le long du chemin, le long de la route, au pied de la chapelle, le long du cimetière. Enfin il découvrit l'autre, broutant paisiblement très loin, près de la rivière, en bordure de l'épais rideau de saules et de broussailles.

Michel piqua une rage soudaine. Une taupinière vola en éclats sous la violence de son coup de pied, puis fut piétinée avec frénésie.

— Oh! alors! oh! alors!

Mais « l'autre », à l'autre bout du pré, restait indifférente aux manifestations de Michel. Alors Michel traversa le pré en courant, sautant, bondissant.

— Zut pour les vaches! Vive le cheval! vive le cheval! A bas tout le monde!

La vache cessa de brouter et dévisagea curieusement Michel qui arrivait en une sorte de danse sauvage.

— A bas les vaches!

La vache se détourna lourdement et trottina quelques mètres. Michel changea de méthode :

— Viens! viens!

Et, calmé, il s'approcha lentement.

— Viens!

Comme il allait l'atteindre, la vache reprit sa course puis s'arrêta. Michel s'impatienta et lança une motte de terre. De nouveau la vache s'élança, et comme Michel criait, elle accéléra, piqua droit vers les broussailles, hésita un instant et réussit à s'y infiltrer bruyamment.

Michel entendit le bruit des sabots dans l'eau, floc, floc, floc...

A son tour il traversa le rideau d'arbustes, découvrit de longues traînées de boue jaune dans l'eau claire du ruisseau et vit sur l'autre rive l'animal qui l'observait calmement.

Les yeux de Michel se brouillèrent. Il voulut encore prononcer quelques paroles méchantes, mais les mots lui restèrent dans la gorge. Deux grosses larmes tracèrent un sillage blanc sur ses joues grises de poussière, il renifla fortement une fois, deux fois...

— Viens! parvint-il à crier, suppliant.

Puis il s'adossa à un vieux saule et laissa couler ses larmes, sans contrainte, avec une sorte de soulagement, examinant les longues branches de l'arbre qui l'abritait avec ses feuilles vert pâle.

— Saule pleureur, saule pleureur, saule pleureur, répéta-t-il à voix basse.

— Pourquoi tu pleures? dit une petite voix.

Michel sursauta, ses larmes s'arrêtèrent net.

— Pourquoi tu pleures?

Au pied du saule voisin Paulette était assise, le chien noir et blanc près d'elle.

— C'est ma vache qui s'est sauvée, dit Michel.

Les deux enfants restèrent face à face, muets, un long moment. Michel observa les grands yeux gris de Paulette, sa chevelure blonde coupée au ras des yeux, ses deux mains figées, croisées sur les genoux, puis il revint sur les grands yeux gris.

— Tu remues jamais les yeux, remarqua Michel.

— Si, dit Paulette.

— Comme ça!

Et Michel battit rapidement des paupières.

— Si, dit Paulette.

Et elle battit des paupières à son tour, plusieurs fois très vite. Mais son regard se fixa de nouveau sur Michel, sur ses petits yeux noirs allongés, pétillants, sur ses deux grandes oreilles qui semblaient maintenir un béret basque noir, taché de graisse, enfoncé jusqu'aux sourcils.

— C'est un chien? questionna-t-il.

— Oui.

— Il dort?

— Il est mort, dit Paulette.

Elle eut un geste vers le chien.

— C'est froid, dit-elle.

Michel regarda de l'autre côté du ruisseau. La vache semblait l'avoir oublié, ruminant paisiblement. Puis il revint à Paulette.

— Qu'est-ce que tu fais là?

— Sais pas.

— Où qu'il est ton père?

— Il est mort.

— Et ta mère alors?

— Elle est morte.

— Pourquoi tu pleures? dit Michel.

Paulette soupira profondément et Michel cassa une branche morte du vieux saule.

— Dis, aide-moi à rattraper ma vache.

Paulette ne bougeait pas.

— Aide-moi, reprit Michel. Parce que moi, mon père il est pas mort, et puis il va me flanquer une volée, et puis mon frère et puis tout le monde.

Michel frappa violemment l'arbre de sa badine qui se brisa.

— Et mon chien?

— Laisse-le là, personne ne vient jamais. Je te le jure! Aide-moi, puis tu viendras chez nous manger.

— Et puis dormir?

— Et puis dormir aussi.

Il y eut un léger souffle de vent dans l'air immobile et les cheveux de Paulette flottèrent un instant en désordre, animant son visage figé.

— Faut traverser l'eau, observa-t-elle.

— Je la traverserai, moi. Toi, tu resteras là pour l'empêcher d'aller par là.

— Je veux traverser aussi.

— Pas tous les deux, faut pas.

— Si.

— Non.

Michel eut une idée.

— Celui qui gagne, il traversera.

Il balança son doigt de sa poitrine à celle de Paulette plusieurs fois, en scandant :

— Pic, nic, douille, c'est toi l'andouille.

Le doigt s'immobilisa sur Paulette.

— Andouille? protesta-t-elle. Et toi, morpion!

— C'est pour jouer, expliqua Michel. T'as gagné.

— Ça fait rien, je veux pas qu'on dise andouille.

— Oh!... soupira Michel découragé.

Et il fit quelques pas vers l'eau.

— Attends! j'en connais une autre, cria Paulette.

Michel revint avec une petite moue.

— Peuh!...

Paulette se leva et ce fut son tour de jouer du doigt.

— Croix en bois
Croix en fer
Çui qui rit
Va-t'en enfer.

Michel restait figé sans comprendre.

— Fer, répéta-t-elle en désignant Michel. C'est toi qui traverses.

Michel détacha deux nouvelles branches de saule, en lança une à Paulette qui s'insurgea :

— Faut pas la battre!

— C'est pour faire peur, rassura Michel.

Puis, sans quitter ses chaussures, il traversa le gué.

Quelques minutes plus tard les deux enfants suivaient la vache dans le chemin de terre. Ils passèrent au croisement de la chapelle et Paulette eut pour l'édifice un bref coup d'œil négligent. Cinq cents mètres encore les séparaient de la ferme Dollé et Michel songea qu'il allait lui falloir faire admettre Paulette à son père, puis à toute la famille. Car si le père Dollé était en principe le seul à décider de quoi que ce fût de la vie familiale, ses grands frères depuis quelque temps s'ingéniaient souvent à battre en brèche l'autorité paternelle. Raymond s'autorisait de ses vingt-cinq ans et Daniel était à quelques mois de sa majorité. Aussi bien, Berthe avait-elle vingt-deux ans, mais son sexe la vouait à une soumission perpétuelle, dont, au reste, elle s'accommodait fort bien — à l'image de sa mère et de Renée, par ailleurs assez humiliée de ses quinze ans.

Quant aux vingt-trois ans de Georges, leur prestige

28

venait d'être opportunément annihilé par une ruade de cheval.

Mais Michel voyait aussi bien le mauvais côté des choses.

« Si le Georges est blessé, tout le monde sera de mauvaise humeur, et sans doute, on lui donnera un grand lit pour lui tout seul. »

Michel devait donc trouver une raison sans réplique, une raison capitale, et valable à la fois pour le père, pour Raymond, pour Daniel.

« Elle n'a plus de père, plus de mère... »

Michel chercha autre chose.

« C'est la guerre », pensa-t-il encore.

Puis :

« Elle vient pour travailler. »

Il dévisagea Paulette un instant et vit ses deux petits bras nus, aussi minces et fragiles que les branches du vieux saule.

« Pour traire les vaches... pour ramasser les œufs... pour emballer le beurre... pour donner aux poules... pour piquer les betteraves... ça, oui, peut-être. Pour conduire les vaches... Et moi qu'est-ce que je ferais alors? »

Un bref aboiement le tira brusquement de ses méditations. Un gros chien gris accourait vers eux la langue pendante, haletant, essoufflé...

— C'est ton chien? demanda Paulette.

— Non, c'est aux voisins.

— Quel âge il a?

— Je sais pas, on est fâché avec nos voisins.

Le chien fit plusieurs fois le tour du petit groupe, s'éloigna quelques mètres en courant, fit volte-face et revint à nouveau. La vache, stimulée, prit une démarche plus rapide. Les enfants pressèrent le pas.

Paulette dit encore :

— Comment qu'y s'appelle?

— Nous, on l'appelle Ganard. C'est le nom de nos voisins.

Le chien eut encore un aboiement sonore, et la vache partit au petit trot. Paulette et Michel l'imitèrent.

— Moi, je m'appelle Paulette, annonça Paulette.

— Moi, je m'appelle Michel, rétorqua Michel.

Les aboiements du chien Ganard devinrent soudain furieusement précipités et la vache s'élança au grand galop. Les enfants accélérèrent encore leur course, s'efforçant de suivre l'animal, et Paulette, à bout de souffle, eut une idée subite :

— Dis donc Michel, t'aimes bien le lait?

— Oh oui!

— Ah! fit Paulette.

Les deux gosses hurlant, la vache meuglant, le chien Ganard aboyant, dévalèrent dans la cour de la ferme, en une galopade effrénée. La vache se dirigea d'elle-même vers son étable, suivie de Paulette et Michel, et le chien Ganard raidit soudain ses pattes de devant et s'arrêta net au milieu de la cour. Sur le seuil de sa niche un chien Dollé venait de se dresser, belliqueux. Les deux adversaires se mesurèrent du regard quelques secondes, puis le chien Dollé s'élança. Il y eut un grand remous de poussière, quelques grognements rageurs, puis ce fut une cavalcade tumultueuse tout autour de la cour. Les chiens couraient, stoppaient, jouaient des pattes, de la queue, des oreilles, sautaient, frappaient, mordaient. Le chien Ganard poussa soudain un hurlement déchirant, et les deux chiens firent trois tours sur eux-mêmes, pattes et queues entremêlées.

Le père Dollé surgit au pas de la porte.

— Qu'est-ce qu'il f... là ce chien de cocu?

Puis il s'arma d'un gourdin appuyé au mur et partit à grandes enjambées vers les belligérants. Une seconde il hésita, ne pouvant reconnaître sous un même vêtement de poussière son chien Dollé du chien Ganard, puis, la bête identifiée, il la rossa vigoureusement. Le chien Ganard hurla de plus belle, et le père Ganard apparut à son tour au seuil de sa maison.

— Eh Dollé! Qu'est-ce qu'il t'a fait mon chien?

— Il gueule! Et y a un blessé chez moi!

— Un blessé? Tu veux donc le faire crever?

— C'est bon pour toi de faire crever les gens!

— Je fais crever les gens, moi? Qui c'est qu'a la médaille de sauvetage? C'est toi ou moi?

Le père Dollé resta figé.

— Qui c'est qu'a repêché ta grand-mère quand elle était le cul dans l'eau jusqu'aux yeux? C'est toi ou moi? Qui c'est qu'avait la trouille de la repêcher? C'est toi ou moi?

Le père Dollé jugea qu'il était inutile de discuter avec Ganard et revint vers sa porte en grommelant :

— La médaille... la médaille...

Paulette et Michel avaient observé la scène en silence, et Paulette en voyant revenir le père Dollé tentait maintenant de se dissimuler.

Le regard du vieux tomba soudain sur elle.

— Qu'est-ce que c'est que ça encore? suffoqua-t-il.

Michel s'approcha tout pantois.

— Son père a été tué et puis sa mère aussi sur la route...

— Quelle route? dit le père.

— Sur la route, quoi...

Tout à coup, Michel eut une idée géniale :

— Elle voulait aller travailler *chez les Ganard*.

Le père Dollé se gratta la tête, soudain calmé. Il y eut un court silence, et Michel lança une brève œillade à Paulette.

— T'es toute seule? T'as plus de parents? dit enfin Dollé.

— Non, m'sieur.

Michel appuya :

— Non, qu'elle dit.

A l'entrée de la ferme Ganard, le chien battu aboyait furieusement. Le père Dollé le vit un instant arrogant et bravache.

— Entre, dit-il à Paulette. Tu vas nous raconter ça.

Il attira Paulette à lui, et Paulette craignit un instant une caresse de main rugueuse. Mais le père Dollé la poussa légèrement vers la porte. Michel les suivit triomphant, et le vieux se tourna vers le chien gueulard :

— On va bien voir qui c'est qui l'aura la médaille ce coup-ci!

Le lendemain matin Paulette se réveillait dans un grenier sordide.

Elle entendit tout d'abord une foule de bruits indistincts qu'elle eût voulu savoir identifier. Mais sa connaissance de la campagne était par trop embryonnaire. Elle savait qu'il y existait des poules, des coqs, des poussins, des oies, des canards, des chevaux, des vaches, des moutons, des porcs, mais toute cette faune bruyante, prenant soudain la place des images muettes et figées qu'elle avait coutume de se représenter, elle se sentait maintenant ignorante de leur vraie vie, cruellement dépaysée. Mal réveillée, les paupières mi-closes encore, le cadre trop immédiat, trop proche, de sa première nuit lui était encore inaccessible. Elle se souvenait qu'hier soir, à la nuit tombante, Michel l'avait conduite par un escalier tortueux, près d'une immense paillasse que la lueur d'une bougie mal mouchée semblait teinter de jaune sale. Elle s'y était affalée, Michel l'avait enroulée de deux grandes couvertures à carreaux, et sans doute était-elle immédiatement tombée dans un sommeil de plomb.

Ce qui, pour l'instant, intéressait Paulette, c'était

de se remémorer son arrivée à la ferme. Dans l'essouf-
flement de leur course derrière la vache, elle n'avait
guère remarqué qu'une route rectiligne, ouatée d'une
onctueuse couche de poussière. Plusieurs fois elle
avait remarqué la trace de ses cinq petits doigts de
pied, minuscules, au milieu d'une multitude d'autres
empreintes : les semelles cloutées de Michel, les sabots
de la vache, et un nombre incroyable de fers à cheval.
Chaque fois qu'elle avait levé les yeux, elle n'avait
vu qu'un grand nuage de poussière blanche. Puis dans
la cour de la ferme il y avait eu la bataille des chiens...
Encore de la poussière. Tout de même, elle avait couru
à l'étable derrière Michel, et l'étable était à droite de
l'entrée. Puis elle se souvint de l'irruption du père
Dollé, de son incartade avec le père Ganard et petit
à petit elle recomposa le décor. Les deux fermes
étaient face à face, exactement semblables. Au fond de
la cour que nulle enceinte ne séparait d'ailleurs de
la route, et parallèlement à cette route, s'étendaient
les bâtiments d'habitation avec de part et d'autre deux
bâtiments identiques perpendiculaires au premier.

« Et dans celui de droite, il y a l'étable », se répéta
Paulette.

En avant de cette aile, elle se souvint encore d'un
haut grillage, derrière lequel picorait un nombre incal-
culable de poules...

Un coq, très proche, chanta très fort.

Paulette sursauta et soudain elle découvrit son grenier, immense et vide. Seul, au pied de sa paillasse
s'étendait un tas de graines qu'elle ne sut dénommer.
Puis elle regarda en l'air et vit qu'elle était installée
sous un toit de tuiles neuves, mal jointes. Le soleil

34

matinal y frappait déjà et illuminait chaque interstice d'un petit liséré rouge. Sur les poutres de bois blanc, c'était un trait jaune orangé. Çà et là, de grandes toiles d'araignées, scintillantes de mille feux par la grâce des mauvaises tuiles.

Le coq chanta encore et Paulette s'engouffra sous ses couvertures pour ne plus l'entendre. Il y eut un vide, une espèce de temps mort dans le déroulement de ses pensées, une grisaille indistincte couvrant le bouillonnement confus de son subconscient. Et soudain le subconscient jaillit violemment. Elle revit le grand cortège sur la route avec le grand loup querelleur. Elle n'avait presque pas vu de coqs, songea-t-elle. C'était surtout des chevaux et des chiens, des chiens, des chiens — des chiens vivants, des chiens blessés, des chiens morts...

« Tout à l'heure, pensa-t-elle péniblement, tout à l'heure... »

Elle tenta de repousser la vision de son chien noir et blanc et voulut retrouver son sommeil. Elle surveilla sa respiration pour la faire bien régulière, et imagina devant elle deux grands yeux qui la fixaient pour l'endormir.

Quelque chose se mit à gratter le plancher faiblement, tout près de la paillasse. Paulette retint son souffle, puis sortit doucement la tête hors des couvertures.

« Une souris... »

Elle chercha longuement autour d'elle sans rien découvrir, puis s'immobilisa. Le plancher, à nouveau, craqua légèrement. Paulette serra les lèvres pour émettre un petit sifflement précipité — le petit cri des souris qu'elle avait bien connu dans son appartement de Paris. Mais les souris Dollé n'étaient sans doute pas les mêmes que les souris Paris, et le plancher resta silencieux.

Rapidement revint encore l'image du chien noir et blanc, puis Paulette fut distraite par la confusion des bruits qui montaient de la cuisine.

« C'est juste en-dessous », se souvint-elle.

Elle reconnut le bruit des bols de faïence sur la table de bois, le grincement d'une chaise qu'on traîne, puis le ronron uniforme d'une conversation.

L'escalier tortueux résonna d'un bruit de galoches précipité, et Michel fit irruption dans le grenier.

— Bonjour, cria Michel.

— Bonjour.

— Tu dors?

— Non.

Michel vint s'asseoir sur le bord de la paillasse et toucha du doigt le corps emmitouflé de Paulette.

— Faut que je te réveille.

Paulette comme la veille au bord de l'eau fixait calmement Michel dans les yeux, sans un geste.

— Tu remues jamais, constata Michel un peu dépité.

Paulette semblait ne pas entendre.

— Tu remues jamais, insista Michel.

— Pour quoi faire? prononcèrent les lèvres de Paulette.

— Puis t'as des grands yeux.

— Puis j'ai l'air bête.

Michel n'eut pas de réaction.

— Ah? fit-il simplement.

— C'est papa qui l'a dit... Maman, elle disait pas
non.

Un hurlement monta de la cuisine, impératif :

— Michel!

— Ça, c'est mon père à moi, dit Michel, comme
pour lui-même.

Puis soudain :

— Viens, faut que t'ailles déjeuner.

Paulette quitta enfin Michel des yeux pour regarder le tas de graines au bout de son lit. Puis elle revint
sur Michel qui expliquait :

— Moi je vais mener les vaches. Après je reste avec
elles, puis je les ramène. Alors tu viendras me retrouver quand t'auras plus faim. C'est sur la route du
bourg, après le cimetière.

Paulette demeura dans son immobilité, et Michel
s'en alla avec son bruit de galoches.

Lorsque Paulette descendit, elle vit que l'escalier
de son grenier donnait sur la cour et que la cour était
bien celle qu'elle s'était imaginée tout à l'heure. Elle
alla vers la cuisine et s'étonna de ce que la porte fût
constituée de deux battants superposés que l'on pouvait ouvrir indépendamment l'un de l'autre. Il eût
sans doute été très amusant de n'ouvrir que celui du
dessous et de pénétrer dans la maison en se baissant,
comme par un arc de triomphe. Mais Paulette était
trop intimidée. Aussitôt sur le seuil, elle se sentit sub-
mergée d'un violent mélange d'odeurs, de bruits, de
paroles informes. C'était du bois qui brûlait, du lait
qui bouillait, des poules qui caquetaient piétinant

leurs ordures, le père qui mangeait, la mère qui buvait, Raymond qui parlait.

— Moi, je veux bien, disait-il. Vous avez envoyé le Daniel au bourg, chercher le docteur. Bien sûr quand y a un malade faut un docteur. Mais je crois bien que le Daniel y reviendra tout seul. Y a eu les réfugiés et puis des bombardements, à ce qui paraît. Alors vous pensez bien que le docteur y doit avoir du travail. Alors j'ai idée que le Daniel il aurait mieux fait de venir avec nous aux betteraves.

Deux poules se disputèrent une mie de pain et se sauvèrent entre les jambes de Paulette à toute allure.

— Parce que les betteraves, ça va pas vite, continuait Raymond, avec cette histoire de cheval on a perdu du temps.

— Ben, on y va, dit le père en se levant lourdement de table.

Berthe vida son bol de café au lait avec un bruit de chien qui lappe et Renée entra au même instant une binette sur l'épaule.

— Alors ça vient? dit-elle.

Quelqu'un répondit par un grognement et Renée fit un pas vers la sortie. Paulette l'arrêta soudain intéressée.

— C'est quoi ça?

— Ça c'est une binette.

— Qu'est-ce qu'on fait avec?

— On repique les betteraves, pardi.

— On peut faire des trous avec?

— Pour sûr qu'on peut faire des trous avec.

Renée sortit, suivie du père, de Berthe et Raymond, en passant devant Paulette sans y prendre garde, l'enveloppant tour à tour d'un petit relent de fumier acide.

Paulette demeurait sur le seuil hésitant entre l'odeur de purin de la cour, et l'odeur de lait tourné de la pièce.

— Viens déjeuner, ma poule, dit la mère Dollé.

« ...ma poule, ma crotte, morpion, trou du cul », pensa mécaniquement Paulette.

— T'as peur?

— Non. Bonjour, m'dame, dit faiblement Paulette.

— Assieds-toi, je vais te servir.

Paulette se figea sur le banc qui longeait la longue table de bois rugueux. Il y avait devant elle un long ruisseau immobile de café noir qui aboutissait à un large étang de lait blanc, vaguement teinté de beige au confluent, et puis des mouches, des mouches qui s'y baignaient, s'abreuvaient, se noyaient, pataugeaient, pour s'envoler ensuite et marquer le plafond de leurs pattes collantes.

« C'est la cuisine », s'était dit Paulette en entrant. A vrai dire, elle ne savait plus maintenant. Il y avait bien près de la porte une grande cuisinière noire où le feu ronflait comme en plein hiver, il y avait bien de grands chaudrons de cuivre jaune à reflets roux, des casseroles, des marmites, un placard, un vieux buffet, une table, puis une série de boîtes sales classées par ordre de taille : sucre, café, sel, poivre, épices..., bien rangées sur une cheminée qui s'ouvrait presque sur toute la largeur du mur, face à la cuisinière. A gauche de la porte, sous une fenêtre aux rideaux sales, il y avait un coffre où se dressaient deux énormes pains de six livres. Mais il y avait aussi au fond de la pièce deux grands lits, de part et d'autre d'une porte qui s'ouvrait sur une sorte de cellier. Dans celui de gauche, le corps de Georges apparaissait sous la forme d'un long fuseau blanc coiffé d'une touffe hirsute de cheveux noirs.

« C'est une cuisine où on couche, pensa Paulette. C'est une chambre où on mange. »

Distraitement elle trempa une large tartine de pain beurré dans le café crémeux que venait de lui servir la mère Dollé, puis elle mangea lentement les yeux fixés devant elle, raide sur son banc.

La mère s'agitait à droite, à gauche, au lit, à la porte, aux marmites.

Le visage de Paulette disparut dans son bol qu'elle vida d'un trait, puis elle le posa doucement en fixant soudain Georges. La touffe hirsute s'agita au bout du fuseau blanc et Paulette demanda :

— Qu'est-ce qu'il a, le monsieur ?

— Il a reçu un coup de pied de cheval.

— C'est bien gentil, un cheval, dit Paulette pour elle-même.

Elle se leva, avança vers le lit et s'immobilisa les mains derrière le dos en contemplant le blessé. Elle respira profondément une odeur tiède de sueur et de drap humide, fit une petite grimace, puis reprit son immobilité. Ses yeux glissèrent lentement sur le corps allongé, puis sur la tête de lit, puis sur le mur. Elle vit qu'un crucifix y était fixé, orné d'une petite branche de buis poussiéreux.

— Quand j'étais à l'hôpital, y avait plein de croix comme ça, observa-t-elle.

La touffe hirsute eut un léger gémissement.

— C'était beau l'hôpital, reprit Paulette.

— Vacherie de canasson! articula cette fois la touffe hirsute.

— Tu veux-t-y que je te lave? intervint la mère. Georges? Tu veux-t-y que je te lave ton ventre?

Georges grogna.

— Ah! bon, fit la mère. Je vas te laver.

Puis à Paulette :

— Faut pas rester là maintenant. Va retrouver Michel dans le pré.

Paulette suivit la mère des yeux, à la cuisinière, puis au lit de Georges, puis à la cuisinière encore sans bouger d'un pouce.

— Non, dit-elle soudain. Je veux un outil pour piquer les betteraves.

— Tu sauras pas.

— Si je saurais. Dites-moi où il y a un outil pour piquer les betteraves.

La mère versa un peu d'eau dans un chaudron.

— Y en a un dans le cellier.

Paulette ouvrit la porte et pénétra dans la pénombre du cellier humide et fraîche. L'odeur de moisi lui semblait un soulagement. Elle discerna contre un immense tonneau plusieurs outils pêle-mêle, des bêches, des pioches, des pelles, des râteaux... Un à un elle tira les manches entremêlés, et finit par découvrir une binette à sa convenance. Puis elle s'adossa au tonneau et savoura un instant la fraîcheur de l'endroit. Dans la pièce voisine on entendait maintenant la voix de Daniel :

— Y a plus de médecin, il est mobilisé à l'hôpital.

Dans cette demi-obscurité les voix prenaient une résonance étrange. Paulette se sentit mal à l'aise. Elle mit la binette sur son épaule, comme Renée tout à l'heure, et ouvrit la porte.

— Y a un curé, y a un maire, y a des soldats, mais y a plus de médecin, disait encore Daniel.

— Y a-t-y au moins un corbillard, demanda Georges.

— Dis pas ça devant la petite, dit la mère en regardant Paulette qui traversait la pièce. Tu vas lui donner de mauvais rêves.

Mais Daniel reprit :

— Ben, y a le vieux corbillard, sous la remise. En le reclouant un peu, par-ci par-là...

— C'est la planche du fond qui va pas fort, dit encore Georges.

Paulette sur le seuil de la porte entendit vaguement l'intervention de la mère :

— Raymond s'en occupera. Faut pas se faire de souci, quand on est malade.

Et Daniel qui concluait :

— Et puis aussi, j'ai prévenu le curé...

Paulette traversa la cour à toute allure, libérée, puis elle ralentit et s'éloigna d'un pas tranquille. Elle passa devant le bistrot et remarqua les panneaux multicolores qui ornaient les volets et les vitres, puis devant l'église, puis ce fut la solitude entre les grands champs verts et jaunes piqués de bleu, de rouge, de mauve, qui s'étendaient à l'infini.

Elle remarqua dans la poussière les traces de son arrivée déjà si lointaine, lui semblait-il, les traces de ses minuscules pieds nus.

Au loin, la famille Dollé était penchée sur ses rangées de betteraves fragiles...

Paulette arriva au croisement de la chapelle, et, sans

hésitation, s'engagea dans le chemin de droite, abandonnant délibérément les Dollé à leurs betteraves. Là elle se remit à courir une centaine de mètres, puis quitta le chemin et traversa le champ, piquant droit vers la rivière.

Hier, de longues heures durant, elle était restée assise au pied de cet arbre après une interminable marche à travers champs. Pourtant la grande route n'était pas si lointaine, là-bas derrière une colline de terre ocre. Mais tout au long du parcours elle avait dû porter le chien noir et blanc, pesant comme une pierre, secoué de frémissements convulsifs tout d'abord, puis lourdement immobile et raidi. Elle l'avait serré contre elle, suffocante de chaleur et de poussière, puis avait découvert le ruisseau avec son rideau d'ombre et sa fraîcheur...

... Paulette jeta sa binette au loin et s'étendit dans l'herbe brusquement, à plat ventre, jambes et bras allongés, la face contre terre. Le ruisseau glissait doucement avec une petite musique, une petite chanson à elle. Paulette battit des jambes et des mains en respirant très fort :

— Je nage, dit-elle.

Puis elle se souleva légèrement et regarda l'eau couler.

...Des pneus, des chaussures, des boîtes rouillées, des bouchons sales...

Soudain, elle devint très grave, redressa son buste raide, et doucement tourna la tête...

Le chien était bien là, comme elle l'avait laissé la veille, couché sur le côté, une patte pointée vers le ciel, une autre vers la rivière.

Paulette se traîna vers lui, sur les coudes, sur les genoux, pour le dévisager quelques secondes. Elle voulut le caresser, tendit la main et l'ôta, vite, dans un réflexe.

— Toutou mignon...

Elle fit un gros effort et parvint à toucher le chien du doigt, légèrement, puis elle dessina doucement un long sillage dans ses poils blancs, évitant les taches noires. Le contact lui devenait moins désagréable. Elle s'enhardit et posa un deuxième doigt, traçant deux lignes parallèles, puis ce fut toute sa main qu'elle s'efforça d'appliquer sur une tache noire. Elle tenta une brève caresse et s'aperçut qu'en fermant les yeux, le pelage blanc et le pelage noir étaient exactement semblables, ni plus chaud, ni plus froid, ni plus rugueux. A chaque mouvement il y avait une petite touffe hirsute qui grattait un peu le creux de la main et puis une longue plage soyeuse et souple...

Paulette prit le chien dans ses bras et comme hier, l'étreignit vigoureusement. Puis le portant à bout de bras elle le dressa verticalement. Les membres restaient rigides, mais la tête pendait, inerte, oreilles tombantes et yeux clos. Paulette souleva légèrement une paupière, et retira son doigt avec effroi. Puis ce fut une longue contemplation muette, et soudain Paulette lui fit faire quelques bonds sur ses pattes de derrière.

— Fais le beau, fais le beau!

Le chien tomba lourdement et Paulette posa vivement sa main sur sa jambe nue. Un scarabée y courait, éclatant de reflets bizarres. Paulette souleva légèrement sa robe pour mieux voir, mais le scarabée s'enfuit sur une fleur de liseron. Paulette voulut cueillir la fleur, et ce fut toute une longue guirlande qui se détacha du sol. Le scarabée chancela, tomba, et disparut dans l'herbe. Toute à son nouveau ravissement Paulette l'oublia. Elle déploya la guirlande dans toute sa longueur et l'écart de ses deux bras largement ouverts n'y suffisait pas. Alors elle l'enroula plusieurs fois pour en faire une couronne et l'appliqua gravement sur la tête du chien. Puis à nouveau elle le saisit par les pattes de devant et dit encore :

— Fais le beau!

Longuement elle le fit sautiller sur place. Les fleurs et les feuilles s'agitèrent sur la tête du chien, masquant les yeux clos, les paupières enflées.

— Danse! dit Paulette.

Et elle rythma le sautillement d'une chanson aux paroles bizarres. Le visage du chien, balancé de droite et de gauche, semblait s'animer. Alors Paulette lança sa chanson aux échos, de toutes ses forces :

> Gros chien Toutou
> Qui mord
> Ouaf! Ouaf!
> Toutou gros chien
> Qui mordra plus
> Coin! coin! canard
> Cocorico!

« Cocorico » traversa les buissons avec force et résonna dans la plaine.

M. le curé dressa l'oreille. Il arrivait par le chemin parallèle au ruisseau, peinant sur sa bicyclette archaïque, fatigué par une course déjà longue à travers champs. Un mourant l'avait obligé à faire un long détour avant de venir, sur la requête de Daniel, rendre visite à Georges.

M. le curé fit roue libre, hésitant... Bien sûr Georges aussi était mourant, son cas était urgent. Mais quelle était cette voix d'enfant? A Saint-Faix il n'y avait guère que Michel Dollé et Dieu sait s'il chantait faux... Un cas urgent, un cas urgent...

Il eut un coup de pédale vigoureux pour se remettre en route, mais il éprouva une telle douleur dans sa jambe droite, qu'il mit pied à terre aussitôt. Il lui semblait soudain qu'un millier de fourmis lui transperçaient la chair et la soutane était lourde, brûlante et noire.

« Coin! Coin! Coin! » chanta le buisson sur trois notes.

Le buisson chantait, le buisson était vert, bordé d'herbe et d'ombre fraîche.

« Quelle est donc cette voix d'enfant? »

Le curé posa son vélo à terre et s'avança vers la rivière. Bientôt lui furent perceptibles tous les accents de la chanson mélodieusement mais faiblement modulés... Mais comme il s'approchait du buisson, la chanson cessa brusquement. Il entendit encore un « cocorico » très faible, presque chuchoté, puis ce fut un léger froissement de broussaille et le bruit de l'eau foulée aux pieds.

M. le curé écarta les broussailles de ses bras. Une branche de saule lui frappa violemment la figure.

« La curiosité est toujours... »

Il s'arrêta net. Encore ébloui par le choc, il aperçut Paulette face à lui, immobile sur l'autre rive, et douta un instant de sa réalité. Mais la vision s'imposait décidément avec trop d'évidence. Il s'approcha jusqu'au bord du gué.

— C'est toi qui chantes comme ça?

Paulette demeura les mains derrière le dos, les jambes jointes et droites, bouche close.

— Tu n'es pas d'ici, toi?

Paulette fit non de la tête.

— Tu as perdu ta langue?

Paulette fit « non » de la tête.

— Où habites-tu?

Paulette répondit d'un trait :

— Je suis chez Michel Dollé. Papa est mort hier et puis maman aussi.

Elle respira pour ajouter :

— Sur la route.

Le curé inclina la tête sur le côté pour exprimer la commisération.

— Tss, tss, tss, fit-il entre ses dents.

Puis il vit que Paulette le fixait de ses grands yeux gris. Alors il exprima le recueillement, ce qui lui permit de fermer les yeux. Ils restèrent un long moment face à face, Paulette, les yeux grands ouverts sans rien voir, le curé les yeux fermés, pleins de visions confuses. Ses oreilles bourdonnaient des paroles qu'il allait prononcer — qu'il devait prononcer. Il entrouvrit les yeux faiblement, rencontra aussitôt le regard de Paulette, et très vite se réfugia dans le recueillement. A vrai dire, il avait compté sur une confession immédiate, sur un flot de paroles, d'explications, ou d'aveux, ou de plaintes, ou de pleurs... La réplique de Paulette était brève, nette, catégorique. Il ouvrit brusquement les yeux comme pour l'intimider, Paulette n'eut pas un battement de cils. Alors le curé lança les yeux au ciel pour demander :

— Leur as-tu dit une prière au moins?

Paulette fit « non » encore une fois.

— Tu ne veux pas en dire une?

— Je sais pas quoi dire.

Il y eut un petit silence, puis le curé se reprit :

— Il faut apprendre. Mets tes mains comme ça.

Il joignit les mains sur sa poitrine, baissa la tête et resta quelques secondes dans cette attitude. Puis lentement il releva la tête et vit Paulette toujours immobile, raide et droite.

Il exprima la grande patience.

— Tu ne veux pas? Tu as peur?

Non, fit la tête de Paulette.

— Alors, mets tes mains comme ça, insista-t-il.

Mais bientôt il comprit que l'obstination de Paulette était invincible, et il se résigna aux concessions :

— Alors, répète derrière moi.

Il joignit les mains à nouveau et prononça lentement :

— Que Dieu ait leur âme.

— Que Dieu ait leur âme, reprit Paulette très vite.

— Et que leurs corps reposent en paix.

— Et que leurs corps reposent en paix.

Le curé remua encore les lèvres, très vite, en silence, il regarda la terre, il regarda le ciel, baissa les paupières, respira profondément, rouvrit les yeux, continua de remuer les lèvres, écarta les bras, pencha la tête, joignit les mains, baissa la tête, releva la tête, ferma les yeux, ouvrit les yeux, remua les lèvres.

Paulette, sans bouger, suivait tous ses mouvements du regard.

« Il va sortir un petit lapin de sa manche », pensa-t-elle pour rire.

— Pscch, pschch, psss, psss, psss, pssss, pssss, repschpchpch, firent les lèvres du curé.

« Le voilà », pensa Paulette.

Et elle appela doucement, pour voir :

— Miaou ?

Le curé s'arrêta net, les yeux au ciel, figé. Puis ses yeux descendirent lentement sur le visage de Paulette, et il rencontra son regard.

— Repschpchpscchpshpsch..., fit-il aussitôt en baissant les paupières.

Paulette renonça au lapin, tout en souhaitant qu'il fût blanc aux yeux rouges et elle se demanda comment tout cela allait finir.

Le curé prononça soudain tout haut des mots qui ne la concernaient pas, en faisant un grand geste de la main :

— Au nom du Père, du Fils et du Saint-Esprit, ainsi soit-il.

Paulette eut le sentiment que le dénouement approchait.

— Cette terre est désormais bénie, dit le curé. Viens chaque jour ici prier.

— Je sais pas quoi dire, débita Paulette en une seconde.

— Que Dieu ait leur âme.

— Que Dieu ait leur âme.

— Au nom du Père, du Fils et du Saint-Esprit, ainsi soit-il, dit le curé en se signant.

— Au nom du Père, du Fils et du Saint-Esprit, ainsi soit-il, dit Paulette les mains derrière le dos.

— Fais comme moi, insista le curé.

Et il refit le signe de la croix.

La tête de Paulette fit « non ».

— C'est grave le signe de la croix, dit le curé.

Et il hocha la tête lentement pour exprimer la réprobation.

— Tu ne veux pas?

Paulette frappa du pied.

Le curé sourit pour exprimer la pitié, et il céda en soupirant :

— Michel t'apprendra. C'est un bon élève au caté-chisme, Michel.

Il resta immobile un instant, hésita et disparut dans les feuillages, prenant bien garde aux branches de saule.

Paulette, épuisée, laissa tomber le cadavre du chien qu'elle tenait derrière son dos.

M. le curé retrouva son vélo en bordure du chemin. Il eut l'impression que sa jambe allait beaucoup mieux et allégrement il enfourcha sa machine. Puis, comme le chemin était bien plat jusqu'à la chapelle, il eut l'impression d'être très jeune pendant cent mètres de trajet. Là, cinq vaches débouchèrent de la route et M. le curé éprouva tout à coup la lenteur de ses réflexes. Un miracle fit qu'il frôla chacune d'entre elles sans en toucher aucune, et il put doucement atterrir dans le fossé.

— V'la le Joseph, dit Michel qui suivait le troupeau.

Le curé-Joseph feignit de s'être arrêté de sa propre volonté et dit à Michel :

— Alors, on a une petite compagne à présent?

Michel inclina la tête, intrigué, et ses yeux brillèrent :

— Qui c'est qui vous l'a dit?

— Le Bon Dieu sait tout, Michel, dit le curé.

Michel cligna des yeux avec malice.

— Vous n'êtes pas le Bon Dieu, monsieur le curé.

— Mais presque, mon enfant.

— C'est quoi un enfant du Bon Dieu?

— C'est un petit ange.

— Alors, je suis presque un petit ange?

— Mais oui, mon enfant, dit Joseph-le-curé. Et il ajouta gravement :

— Tu seras un vrai petit ange si tu conduis ta petite amie au Bon Dieu.

Michel gardait sa tête inclinée, les yeux mi-clos, une petite grimace au bas du nez, sans très bien comprendre.

Le curé baissa la tête et leva un sourcil en fixant Michel.

— Sais-tu qu'elle ignore même ses prières et son signe de croix?

— Oh! alors, dit Michel pour faire plaisir.

Une abeille bourdonna autour du chapeau rond. Le curé la chassa de la main et Michel n'y prit pas garde, mais il pensa machinalement :

« Le Joseph, il va se faire piquer la goule. »

Il examina lentement l'horizon, les champs, la bor-

dure verdoyante du ruisseau, le chemin, la route, puis
il vit que Joseph avait une grosse tache de graisse sur
la soutane et pensa qu'il méritait une bonne paire de
claques.

Joseph reprit sa bicyclette et Michel observa :

— Je voudrais bien avoir un vélo de femme comme
ça. C'est plus facile pour apprendre.

Et Michel eut envie d'être curé quand il serait grand.

— Mais tu vas bientôt devenir un homme, dit Joseph
en rabattant les plis de sa soutane.

— Pas encore.

Il y eut un bref silence. Enfin Michel se décida.

— Où qu'elle est la Paulette?

Paulette était toujours au bord du ruisseau. M. le curé
l'avait troublée, de ses mots, de ses gestes, de son
regard fuyant, et puis il faisait chaud, très chaud, et
elle éprouvait un curieux malaise.

Debout, elle fit un signe de croix :

— Au nom du Père, du Fils et du Saint-Esprit, ainsi
soit-il.

Puis elle s'arrêta et voulut se souvenir de M. le curé.
Comment faisait-il au juste?

— En haut, en bas, à gauche, à droite.

Paulette restait indécise. Elle se souvenait des paroles,
mais le geste ne lui apparaissait que confusément.
Elle essaya :

— En haut, en bas, à droite, à gauche. La tête, le
ventre, l'épaule ici, l'épaule là-bas.

Dans son incertitude elle recommença :

— En haut, à gauche, en bas, à droite. Le Saint-

Esprit sur la tête, le Père à gauche, le Fils à droite, et le nom sur le ventre.

Puis Paulette découvrit que l'on pouvait varier l'exercice à l'infini :

— Le front, le menton, l'œil gauche, l'œil droit.

— L'épaule, l'épaule, le ventre, le nez.

— La lèvre d'en haut, la lèvre d'en bas, l'oreille ici, l'oreille là-bas.

Mais tout cela manquait un peu de logique. Ce qui était vraiment bien, c'était :

— Le bas du ventre, le nombril, la poitrine et le bout du nez. Rez-de-chaussée, entresol, premier étage, deuxième étage, avec le Saint-Esprit en haut, le Fils au premier, le Père à l'entresol, et le nom sur la porte, au rez-de-chaussée.

Paulette avala un peu de salive et pensa :

« C'est l'ascenseur qui descend. »

Elle surveilla le glissement de la salive et crut s'apercevoir que la sensation s'effaçait au niveau de l'entresol. Paulette pensait alors que c'étaient le Fils et le Saint-Esprit qui rendaient visite au Père. Elle entendit des portes s'ouvrir, des portes claquer, son ventre s'agiter de mille courbettes, de poignées de main, de siège qu'on traîne, de verres qu'on choque, de cartes qu'on lance: trèfles qui poussent, cœurs qui battent, carreaux qui cassent, et piques qui piquent.

Le Père cogna sur la table :

— Je coinche, dit-il.

— Aïe! fit Paulette.

— Je coupe, dit le Fils.

— Ouille! ouille! fit Paulette.

— Je passe, dit le Saint-Esprit en renversant les chaises.

— Je suis, dit le Fils en bousculant tout le monde.

— Carreaux, dit le Père en lançant une pierre.

— Je relance, dit le Saint-Esprit en l'imitant.

— Deux cents de valet, dit le Père en sonnant Baptiste.

— Et vingt de belote, dit le Saint-Esprit en versant à boire.

— Un de chute, dit le Fils en cassant son verre.

— Y a pas de mal, dirent les deux cents valets qui arrivaient au petit trot.

— Et Baptiste? demanda Paulette.

— Il est mort, dirent les deux cents valets en s'en allant au petit trot.

— Au nom de Moi, du Fils et du Saint-Esprit, ainsi soit-il, marmonna la voix du Fils.

— Au nom du Père, du Fils et de Moi, ainsi soit-il, bourdonna la voix du Saint-Esprit.

— Au nom du Père, du Fils et du Saint-Esprit, ainsi soit-il, embrouilla Paulette, qui soudain se mit à voir tout noir.

Elle se courba, s'agenouilla, et vomit douloureusement, sans penser à l'ascenseur qui remontait. Puis ses yeux s'éclaircirent un peu et Paulette les sentit mouillés de grosses larmes. Elle fit un effort pour s'asseoir, et demeura immobile de longues minutes, sans comprendre. Puis elle s'aperçut qu'elle ne s'était pas délivrée des odeurs de la ferme. Fumier, lait tourné, Georges, la poussière, la mère, le père, Raymond, tout le monde, tout le monde, sauf Michel qui, lui, sentait encore le lait d'enfant, le bon lait frais qui imbibe la chair rose des bébés. Et puis aussi, il y avait eu l'odeur du chien, bien que Paulette ne voulût pas se l'avouer, parce que Toutou avait tous les droits depuis sa mort.

— Au nom du Père, du Fils...

Ça tournait à l'obsession comme une chanson-rengaine.

Une vache lointaine fit sursauter Paulette.

— Meuh!

Elle fut aussitôt sur ses jambes, et traversa le rideau de broussailles pour voir Michel et son troupeau suivis du chien Dollé qui dévalaient à travers champs. Paulette sauta, bondit, gesticula :

— Arrête-les! arrête-les!

Michel lança un cri sauvage et la première vache s'arrêta au bord du taillis, puis les autres ralentirent à leur tour, cherchant paisiblement leur pâture.

Michel s'avança, suivi du chien :

— Pourquoi t'es pas venue? questionna-t-il.

— J'avais à faire, répondit Paulette.

Les yeux de Michel se firent plus petits, plus brillants, son regard plus perçant, et il refit sa grimace interrogative. Il attendait une réponse plus explicite, mais Paulette restait muette.

— Hein? fit Michel.

Les yeux de Paulette fixaient un point invisible en direction des yeux de Michel, peut-être avant, peut-être après, peut-être même sa pupille noire...

Michel soupira.

— Ça fait rien. Je t'attendais, moi.

Paulette ne souffla mot, mais elle pensa :

« Il va pleurer. Pourquoi? » Et ses yeux se firent un peu plus grands encore.

Michel attendit quelque chose qui ne vint pas et lui aussi prit conscience de ses larmes toutes proches. Il fit un effort, respira profondément, et avança vers le taillis.

— Non! cria Paulette, va pas par là!

Michel se retourna surpris.

— Non! dit encore Paulette.

Michel hésita, effrayé à l'idée de cette vengeance possible. Mais comme il craignait de fondre en larmes, il écarta brusquement les branches et avança vers le gué.

— Je veux pas! je veux pas! ordonna Paulette rageusement.

Mais comme Michel avait déjà traversé, elle s'élança à son tour, et se planta devant lui :

— Je veux pas! je veux pas! je veux pas! je veux pas!

Elle piétina furieusement le sol, les poings crispés, les dents serrées, raidie, tremblante, tendue de tous ses membres. Mais Michel immobile et calme regardait tristement le sol. Il désigna un petit carré de terre fraîchement retourné, sur lequel reposait la binette :

— Qu'est-ce que c'est que ça?

— C'est rien! ordonna Paulette.

Michel renifla, toujours immobile.

— T'as fait un trou.

— Non! décréta Paulette.

Mais elle ajouta moins durement :

— Et puis d'abord, je l'ai rebouché.

Ces quelques mots apaisèrent un peu ses nerfs. Elle sentit ses muscles se détendre et retrouva une respiration moins saccadée.

— Pourquoi t'as fait un trou, au lieu de venir? dit encore Michel.

Paulette eut soudain un grand élan de pitié. Michel avait de la peine, Michel allait pleurer, la lèvre de Michel avait tremblé et il était triste, triste...

Paulette faillit tout lui dévoiler. Mais au même moment, le chien se mit à aboyer, de l'autre côté du buisson et Paulette bondit sur l'occasion.

— Écoute! T'as une vache qui se sauve! Va voir!

Michel grogna :

— Si elle se sauve, je courrai après, et je trouverai peut-être une autre fille que toi.

Et tout rentra dans l'ordre : Paulette reprit son immobilité et son grand regard figé, et Michel traversa les broussailles avec ses gestes, ses cris, battant des cils, clignant des yeux, simple et vivant.

Son troupeau était là, bien tranquille. Seul, au bout du champ, le chien courait, soulevant la poussière.

— Bobby! Bobby! cria Michel.

Puis il revint vers Paulette et s'accroupit au bord du ruisseau.

— Je voulais t'apprendre le nom de mes vaches, dit-il.

Paulette se fit conciliante :

— Tu m'apprendras demain.

Michel leva le nez vers elle et reprit, entêté :

— Moi, je voulais aujourd'hui.

Et il lança une pierre qui fit « plouf »!

Paulette observa les grands ronds dans l'eau, qui n'en finissaient pas de naître, mourir, renaître, et s'en allaient contre la berge faire des grands ronds qui naissaient, mouraient, et s'en allaient faire des grands ronds.

— Au nom du Père, du Fils...

— Crrr!... fit Paulette impatientée.

Et l'on n'entendit plus que la petite chanson du ruisseau accompagnée du crissement d'un grillon lointain. Puis soudain il y eut un froissement de branches et de feuillages et Bobby apparut, essoufflé, une taupe dans la gueule.

Michel se leva d'un bond :

— Donne! donne!

Bobby secoua la tête, fit mine de s'enfuir, tourna sur place plusieurs fois et vint finalement déposer la taupe dans les mains de Michel.

— Qu'est-ce que c'est? fit joyeusement Paulette.

Michel fit la moue :

— Peuh! une taupe...

Et il jeta l'animal dans le ruisseau.

Des ronds qui naissent, des noms du Père, qui meurent, des Fils, des ronds, des ronds... Paulette fut secouée de violents tremblements.

— Oh! Pourquoi tu la jettes?

— Elle est morte, dit Michel étonné.

— Elle va se noyer, gémit Paulette suffoquant à demi.

— Elle est morte que je te dis!

— Ça fait rien! Ça fait rien!

Paulette eut un cri de bête blessée et s'enfuit à travers les ronces. Elle tomba en bordure du champ et se roula par terre en sanglotant nerveusement.

— Méchant! Méchant! cria-t-elle à Michel, très fort.

Puis elle se vautra, le corps secoué de brusques convulsions, de raidissements subits, battant des pieds, des mains, de la tête. A la fin, épuisée, elle s'immobilisa, le corps seulement soulevé de temps à autre d'un san-

glot plus profond. Elle enfouit sa tête dans l'herbe,
puis la souleva un peu pour respirer plus à l'aise. Elle
vit une larme tomber sur un brin d'herbe, et descendre
tout doucement, comme par un petit ruisseau, comme
sur une joue de femme folle qui l'eût appelée Ginette,
Mariette, Toinette... La larme fit une perle immobile
au pied de la tige verte et une fourmi vint s'y désaltérer,
puis s'en alla vers d'autres loisirs ou d'autres peines,
vers un créneau de gravier fin tout en dentelles et Paulette pensa que le grand loup allait peut-être revenir...
Une autre fourmi parut au créneau et il y eut un long
échange de salutations bizarres. Paulette voulut lui
offrir encore une larme où elles eussent pu boire ou se
laver, ou nager, ou lancer des petits bateaux en papier,
en bois, ou en feuille, ou en herbe, des petits bateaux
de fourmi, pour une mer de fourmi, une vraie mer
salée comme la mer, avec des vagues, en soufflant
dessus... Mais Paulette vit soudain qu'elle ne pleurait
plus, que ses yeux étaient secs, secs... Sa dernière larme
séchait au bas de son menton. Elle essaya de la faire
tomber du doigt, mais la larme fut absorbée par la
sueur de sa main moite.

— Tiens! dit Michel doucement.

Paulette sursauta et vit devant elle la taupe encore
toute humide de l'eau de la rivière. Elle se tourna
vers Michel en s'asseyant :

— T'as été la chercher dans l'eau?

— Bien sûr, dit Michel.

Paulette prit la taupe dans ses mains. Michel voulut
l'amener à la raison :

— Tu vois bien qu'elle est morte.

— Ça fait rien, dit Paulette.

Et elle caressa doucement la bête morte. C'était encore beaucoup plus souple et soyeux que le chien tout à l'heure. Et puis le chien, il avait une sorte d'épi sur la tache noire, qui grattait la main... Paulette frôla la taupe de ses lèvres plusieurs fois...

Michel l'observait curieusement.

« Elle est morte, pourtant, elle est morte », se répétait-il.

Puis il pensa au chien noir et blanc qu'il n'avait pas retrouvé, au carré de terre fraîche, à la binette, et confusément il crut un peu comprendre quelque chose...

Paulette se leva, traversa lentement le buisson et vint s'asseoir au bord de l'eau.

Michel attendit quelques secondes et demanda timidement :

— Je peux venir?

— Oui, répondit Paulette faiblement.

Il traversa le buisson à son tour et s'approcha de Paulette.

— Je veux bien que tu m'apprennes le nom de tes vaches, dit-elle.

— J'ai plus envie, répondit Michel.

Michel ramassa la binette et resta un instant immobile, hésitant. Paulette caressait toujours la taupe en murmurant une petite chanson.

— Dis? Tu veux que je fasse un trou? demanda Michel très doucement.

— Oui, fit imperceptiblement Paulette.

Michel creusa le sol de sa binette, à côté du carré de terre fraîche.

— Ici?

— Oui, fit Paulette sans regarder.

— C'est assez grand?

— Oui, devina-t-elle encore.

Michel tendit la main.

— Donne.

Paulette lui donna la taupe, et tous deux s'agenouillèrent devant le trou. Michel y déposa la bête doucement et repoussa un peu de terre du revers de la main.

— Attends! dit Paulette.

— Quoi?

— Ça ressemble à une souris.

— Oui, dit Michel, un peu.

Et Paulette à son tour, poussa un peu de terre dans le trou. Michel jugea qu'il pouvait l'imiter, et la taupe fut bientôt ensevelie. Puis ils se levèrent tous deux, et considérèrent en silence les deux petits carrés de terre côte à côte. Maintenant les idées de Michel se faisaient plus nettes et il déclara sans hésiter :

— Ce qu'il faut leur faire, c'est des croix.

Il réfléchit un instant et continua :

— D'abord le Joseph, il veut que je t'amène au Bon Dieu. Alors je t'apprendrai à faire des croix.

— Des croix comme ça? Au nom du Père, du Fils et du Saint-Esprit, ainsi soit-il, demanda Paulette en se signant presque correctement.

— Non! dit Michel. Des vraies, avec un marteau, puis des clous.

Dans la salle commune des Dollé, Joseph le curé pensa soudain qu'il s'était suffisamment attardé. Comme il n'était pas médecin, il n'avait pu juger exactement du laps de temps qui pouvait encore séparer Georges de la mort.

— Je reviendrai dès que possible l'assister de mes prières, dit-il en se levant.

Georges, que la visite avait distrait de ses souffrances, retrouva la parole.

— Et dites bien, monsieur le curé, que je suis pas malade. C'est une vacherie de canasson, une putain de bourrique, monsieur le curé.

— Et que le docteur est pas là, ajouta la mère sans savoir pourquoi.

Joseph se fit sombre et grave :

— Dieu, lui, est près de tous ceux qui souffrent.

Et il se pencha vers Georges :

— Alors, ne jure pas trop fort. Il pourrait t'entendre.

Il fit quelques pas vers la porte, mais la mère Dollé l'arrêta :

— Faut-y lui faire de la tisane ?

— De la tisane bien sucrée, c'est excellent contre la fièvre, improvisa-t-il.

— Avec une goutte de gnaule?

— C'est excellent pour la transpiration.

La mère en fut toute réjouie :

— Au fond, on arrive bien à s'en passer du docteur.

Et elle accompagna Joseph à la porte. Joseph lui serra mollement la main et s'engagea dans la cour, mais il s'arrêta brusquement comme pour réparer un oubli sans importance :

— Et puis j'y pense, dit-il, votre petite pensionnaire, envoyez-la donc au catéchisme qu'elle prie aussi.

Il leva la tête, leva les bras, leva les yeux, et récita sentencieusement :

— Il n'est jamais assez de prières auprès d'un grand malade.

La mère Dollé le regarda un peu ahurie, et, au fond de la salle, une voix grogna :

— Je suis point malade.

Joseph baissa la tête, les bras, les yeux, salua légèrement et s'en alla, plein d'une dignité presque majestueuse. Il reprit son vélo posé à l'ombre, à cause du soleil et des pneus, et sortit en roue libre de la cour de la ferme. Il pédala quelques dizaines de mètres et son élan l'entraîna miraculeusement jusqu'à la porte du petit café. C'était un exercice auquel il se livrait habituellement lorsqu'il sortait de chez Dollé. « C'est Dieu qui m'entraîne », se disait-il. Parfois, inconsciemment ou presque, il rectifiait la volonté du Tout-Puissant, d'un léger coup de frein ou d'un petit coup de pédale. Mais cette fois, Dieu l'avait vraiment voulu, et Joseph fut satisfait de ce qu' « Il » ne lui tint pas rancune de ses distractions opportunes.

En ouvrant la porte, il mit en branle une petite clochette un peu folle, qui fit sortir le patron de son arrière-boutique.

— Bonjour, monsieur le curé, lança celui-ci.

— Bonjour, monsieur Muriel.

Joseph circula lentement entre les quatre tables de bois, et fit choix d'une place, contre le mur, dans l'angle de la salle. Comme il s'asseyait à l'extrémité du banc, celui-ci bascula, et Joseph se souleva pour se rapprocher du centre.

— Voilà, dit-il satisfait. Me croirez-vous, monsieur Muriel, mais ce banc me sert de bascule. J'approche des soixante-dix, croyez-moi.

— Vous ne les paraissez pas, dit Muriel qui avait compris soixante-dix ans.

D'un coup de torchon Muriel étendit sur toute la largeur de la table quelques taches de vin éparses et demanda finement :

— Un petit Pernod? pour changer du vin de messe.

— Non. Un Mandarin, pour changer du Pernod.

Muriel disparut dans son arrière-boutique, et Joseph passa son doigt dans les taches de vin, sans aucun dégoût, simplement parce qu'une volonté supérieure l'y poussait.

— Alors, quelles nouvelles? demanda-t-il à Muriel qui revenait.

Muriel déboucha la bouteille de Mandarin et dit en servant attentivement :

— C'est plutôt à vous qu'il faudrait demander ça, puisque vous venez du bourg. Paraît que ça va mal?

Joseph ouvrit la bouche et parla de la guerre, de l'exode, des Allemands, des Français, des Anglais, des enfants, des parents, des soldats, caporaux, sous-officiers, officiers, généraux, des vivants et des morts, sans compter les blessés, puis des avions, des chars, des canons, des obus fumigènes, de la France, de l'Europe, de l'Espagne, du Danemark et de la Suède qui avait bien de la chance, et puis de l'Alsace-Lorraine qui, elle, n'en avait pas. Puis il ferma la bouche parce que Muriel disait :

— Un qu'a pas de chance non plus, c'est le Georges Dollé. Quelle affaire.

— Quelle affaire, acquiesça Joseph.

Et il parla blessures, meurtrissures, tétanos, diphtérie, dysenterie, en citant des exemples, coliques et embarras, en se donnant en exemple.

— Au moment des betteraves! déplora Muriel.

— Au moment de l'exode, reprit Joseph. Les hôpitaux pleins. Plus de salles, plus de lits, plus de draps, plus de seaux, plus d'infirmiers, plus de médecins, plus de chirurgiens, plus d'ambulances...

Joseph reprit son souffle et vida son verre.

— A propos, c'est toujours vous qui conduisez le corbillard? demanda-t-il.

— Qui voulez-vous que ce soit? dit Muriel avec un haussement d'épaules.

Puis il ajouta :

— Tout de même, faut pas dire, ça n'arrive pas tous les jours.

Et il se pencha vers le curé, demandant confidentiellement :

— Il va donc si mal que ça?

Joseph soupira.

— N'en a plus pour longtemps, hein?

Joseph eut un geste vague. Muriel insista :

— Vous pouvez peut-être quelque chose pour lui?

Joseph leva les yeux au ciel :

— Je ne suis pas le Bon Dieu, monsieur Muriel, je ne suis pas le Bon Dieu.

— Mais presque, monsieur le curé, presque.

A ce moment la petite clochette folle tinta, et Muriel se redressa vivement.

— Alors, Arthur? Qu'est-ce qu'il dit ton corbillard? lança le père Dollé qui entrait, suivi de Daniel et Raymond.

— Donnez-nous trois verres de plus! ordonna Joseph en les priant de s'asseoir.

Et il ajouta :

— J'interrogeais précisément M. Muriel à ce sujet.

Muriel entreprit encore une expédition dans le fond de sa boutique et revint avec quatre verres.

— Puisque c'est ça, je m'invite! annonça-t-il.

Puis il enchaîna :

— Pour ce qui est du corbillard, y a bien longtemps que je l'ai vu.

Daniel intervint :

— Georges dit que c'est la planche du fond qui va pas.

— Georges? fit Joseph étonné.

— Ben quoi? dit le père, ça le regarde bien un peu, non?

Joseph but une gorgée.

— En tout cas, j'ai guère le temps de le réparer, trancha Muriel.

— Ça, je pourrai bien le faire, dit le père. Y en a pour deux minutes.

Joseph, qui méditait depuis quelques secondes, reprit la parole :

— Et les initiales? Avez-vous des initiales?

Ses interlocuteurs restèrent muets, sans comprendre. Le père se gratta la tête, et Raymond secoua la poussière de son pantalon.

— Les initiales? Ces lettres que l'on met en haut, reprit Joseph.

— Ah! fit Muriel, les lettres? Ben ma foi, y a un « D » et un « G ».

Joseph eut l'air surpris et Muriel expliqua :

— Voyez-vous, monsieur le curé, ici, il n'y a que deux familles : des Dollé et des Ganard. Y a les Ganard du bout de la route, y a ceux d'en face Dollé, y a ceux près de l'église...

— Qui ne vont pas à la messe, interrompit Joseph.

— Et puis les Dollé près du chemin de Saint-Pierre, ceux du petit pont, et puis ceux que v'là. Ça fait du monde, mais tout ça porte le même nom. Alors, on n'a acheté que deux lettres : un « D » et un « G ».

Le père Dollé questionna Muriel.

— Ben et toi?

— Moi, je suis le conducteur.

Joseph eut un petit sourire, et comme il était le seul à savourer le sel de la réplique, il se sentit pleinement confirmé dans sa supériorité. Aussi décida-t-il de rester en dehors de la conversation, se réservant d'intervenir au moment opportun.

Raymond fit remarquer que la lettre « D » devait certainement être encore sur le corbillard, puisque c'était la grand-mère qu'on avait enterrée en dernier, y a deux ans, tu te souviens.

Daniel dit qu'il s'en souvenait, le père dit qu'il s'en souvenait, et Muriel ajouta qu'il s'en souvenait aussi,

même qu'il avait payé une tournée générale et que ça
faisait bien du monde. Le père énuméra tout le monde
que ça faisait, avec ses cousins, ses cousines, ses tantes,
ses oncles et ses petits-fils, avec Ganard la Vache, sa
femme la Truie, et ses enfants qui étaient « en dessous »,
pas francs et hypocrites, et qu'il ne comprenait pas qui
ne soient pas fâchés plus tôt, et que tout compte fait
on avait pris une sacrée cuite, Nom de Dieu.

Daniel dit qu'il s'en souvenait et Raymond dit qu'il
s'en souvenait aussi. Et comme le père disait qu'ils
avaient bien de la mémoire, Daniel récita tout ce
qu'il avait pu boire ce jour-là : Pernod, Mandarin, vin
rouge, vin blanc, limonade, menthe à l'eau, calvados,
la goutte à Muriel, la goutte à Ganard, la goutte à
Dollé. Et il ajouta que la grand-mère était bien brave,
Nom de Dieu.

Raymond dit qu'il s'en souvenait et raconta la vie
de la grand-mère bien brave. Quand elle donnait
des gifles c'est qu'elle avait raison, quand elle avait
trop bu c'est qu'elle avait de la peine, quand elle
volait du beurre c'est qu'elle avait trop faim, et un
bon estomac, la vieille, qu'elle avait pas eu de veine,
avec sa rougeole à six ans, sa coqueluche à onze ans, son
mariage à vingt ans, sa fausse-couche à trente ans, son
veuvage à trente-cinq, son mariage à quarante, son
veuvage à cinquante, son petit-fils qui était mort
— une vraie veine qu'elle soit morte pour pas voir
Georges qui ne traînerait plus huit jours —, avec ses
rhumatisses, avec sa canne de bois, avec ses lunettes
noires, ses dents qui tombaient, ses cheveux qui
tombaient, et son cul qu'est tombé, dans l'eau, un jour
qu'elle était soûle. Nom de Dieu.

Joseph jugea bon de rehausser le débat de toute sa dignité :

— Elle s'est noyée, je crois?

— Nom de Dieu de saloperie! hurla le père en cognant sur la table. Et c'est le Ganard qui l'a repêchée. Une médaille qu'il a eue, une médaille!

Et il affirma que Raymond disait bien la vérité, que la vieille garce donnait des gifles, qu'elle buvait trop et qu'elle volait du beurre, et que le Bon Dieu l'avait bien punie avec sa rougeole, sa coqueluche, son mariage, sa fausse-couche, son veuvage, ses rhumatisses, sa canne de bois, ses lunettes noires, et puis son cul dans l'eau, à croire qu'il y avait vraiment un Bon Dieu, Nom de Dieu.

Joseph eut un petit sursaut et se souvint que la dignité s'exprime par un regard fixe, hautain, lointain. Il regarda le plus loin qu'il put, à travers la fenêtre, en levant un peu la tête. Paulette et Michel passèrent au même moment suivant leur troupeau de vaches, et la petite salle résonna d'un beuglement sonore.

— V'là les vaches, dit Daniel.

— Vaches de mouches, dit Daniel.

— Vaches de mouches, coup en vache, vache de cheval...

Muriel dit :

— C'te pauvre Georges.

La conversation tomba. Raymond suivait les mouches des yeux. Le père les chassait de son front, et Daniel parfois, les écrasait de son poing, sur la table. Les verres étaient vides avec une petite goutte rouge tout au fond, des verres en forme de poire, debout sur leurs queues, les queues pleines de la goutte rouge.

Muriel dit encore :

— C'te pauvre Georges.

Et il essaya d'absorber la goutte rouge. Il pencha la tête en arrière et aspira bruyamment dans son verre, puis le reposa en essuyant ses lèvres de sa langue.

Le père Dollé cogna du poing :

— Le corbillard c'est bien beau, mais le Georges, qu'est-ce qu'on peut lui faire, en attendant?

Toutes les têtes se tournèrent vers le curé-Joseph, sauf celle de Muriel qui s'aperçut que la goutte rouge était toujours au fond du verre. Joseph fit mine de boire avant de répondre : il porta le verre à sa bouche, le bascula, fut sur le point de le reposer, puis le caressa des lèvres à nouveau... Les Dollé concentraient toute leur attention sur ses moindres gestes, et Raymond, légèrement impatienté, traîna son pied sur le carrelage. Enfin Joseph posa son verre et ouvrit la bouche. Les Dollé respirèrent, mais Joseph sortit une cigarette d'un pli mystérieux de sa soutane. Le père et Daniel s'offrirent précipitamment à la lui allumer, un briquet à la main, et Joseph en profita pour hésiter une nouvelle fois. Il se décida enfin pour le briquet du père, et pendant qu'il aspirait sa première bouffée, Muriel s'en prit encore à la goutte rouge.

Joseph dit :

— Du calme et des prières.

Raymond traîna encore du pied, et Joseph reprit :

— Beaucoup de calme, beaucoup de prières.

Les regards restèrent fixés sur Joseph, dans une sorte d'attente anxieuse. Joseph murmura quelques mots en latin et le père crut un instant qu'il énumérait des médicaments. Mais Joseph était bien décidé à les punir de leur conversation sacrilège, bien décidé à aller jusqu'au bout de sa petite vengeance, bien décidé à sauvegarder sa dignité. Il fit encore semblant de parler latin, et commanda une nouvelle tournée à Muriel. Raymond voulut dire quelque chose, mais le père lui dit « chut » en désignant Joseph d'un geste de tête. Muriel servit la tournée, posa la bouteille sur la table et des mouches s'envolèrent. Las d'attendre quelque chose, Raymond vida son verre d'un trait. Puis Daniel vida son verre, le père vida son verre et Muriel vida son verre, sauf la goutte rouge. Joseph buvait lentement à petites gorgées et les Dollé s'aperçurent soudain qu'il avait fini de parler.

★

Michel poussa de son pied la petite porte de l'étable et dit à Paulette :

— Va au grenier. Je vais monter tout de suite.

Paulette resta immobile jusqu'à ce que la dernière vache eut franchi le seuil de l'étable. Elle dit vivement :

— Ça pue.

Puis à toutes jambes, elle courut vers le grenier dont elle escalada l'escalier quatre à quatre.

Michel attacha les vaches une à une, piétinant le fumier humide et jaune, puis il sortit lentement et s'arrêta devant la porte. Il pensa à Paulette qui l'attendait, et eut un curieux réflexe : il décrotta ses pieds sur le sol pour ne pas sentir mauvais. Puis il traversa la cour rapidement, de peur que sa mère ne l'appelât, et pénétra dans la remise qui occupait l'extrémité du bâtiment d'en face. Il y avait là une carriole à deux roues, assez légère, équipée d'une seule banquette réservée à son père et à sa mère. Lui, Michel, avait le droit de s'asseoir derrière, directement sur le plancher, quand la famille se rendait au bourg.

Michel contourna le véhicule et avança tout au fond. Il ouvrit un sac de cuir qui traînait sur le sol et en sortit un marteau et une vingtaine de petits clous tout neufs et luisants. Puis il inspecta longuement les lieux, cherchant quelque chose qu'il ne trouva pas. Il sortit, hésita un instant, et courut soudain au poulailler. Là, encore il chercha, sans rien trouver. Il médita longuement les yeux presque fermés, se mordant la lèvre. Puis il se souvint que des couvreurs de la ville étaient venus récemment refaire la toiture du grenier, et, reprenant sa course il s'élança vers une seconde remise, celle de l'écrémeuse, attenante à la première. Ce nouveau local était vide de tout véhicule, mais dans un coin obscur, les couvreurs avaient laissé un certain nombre de grandes lattes de bois blanc. Michel avança à tâtons vers le coin obscur, et ses mains rencontrèrent soudain les lattes éparses. Il en prit quatre, cinq, six, hésita, en remit une, puis la reprit. Il marcha vers la sortie, observa la porte ouverte de la cuisine et vit vaguement sa mère aux prises avec un grand chaudron. Il cala soigneusement les morceaux de bois sous son bras et partit lentement en longeant les murs. Il se baissa pour passer devant la fenêtre de la cuisine et s'arrêta courbé en deux, retenant son souffle. Il lui fallait passer devant la porte ouverte. Michel entendit sa mère qui parlait à Georges :

— Le ventre, c'est pas grave. J'en ai vu d'autres avec le mien de ventre. C'te garce de Renée...

Michel bondit soudain. Il y eut un grand bruit de galoches sur le sol de pierre, puis un grand bruit de galoches dans l'escalier en bois.

La mère, toute à son ventre, ne sourcilla pas. Michel arriva au grenier tout essoufflé. Paulette était assise sur le bord de sa paillasse, le buste droit. Elle dit :

— Qu'est-ce que c'est?

Et Michel répondit :

— C'est du bois.

Il déposa les lattes sur le plancher, puis le marteau, puis les clous, et vint s'asseoir à côté de Paulette. Il essuya la sueur de son front du revers de la main et proposa :

— Moi, je vais faire des croix. Toi, tu vas apprendre tes prières.

— Je sais pas lire, dit Paulette.

— C'est pas dur. Tu répéteras tout ce que je dirai.

Michel se leva, prit une latte, en plaça le milieu sous son pied, souleva l'extrémité et la coupa en deux. Puis, visiblement satisfait, il répéta l'opération avec chacun des deux morceaux.

— Je vous salue Marie pleine de grâce, dit-il. Répète.

— Je vous salue Marie pleine de grâce, ânonna Paulette.

— Le Seigneur est avec vous.

— Ça pue encore, dit Paulette.

Michel rougit jusqu'aux oreilles.

— Oh! non, alors! larmoya-t-il.

Paulette le dévisageait fixement.

— Oh! alors! oh! alors, bougonna-t-il.

Il vint s'asseoir près de Paulette et délaça ses chaussures. Puis, pieds nus, il alla jusqu'à l'escalier et les jeta le plus loin qu'il put.

Michel revint à ses morceaux de bois, la mine renfrognée. Il s'accroupit et prit un clou brillant.

— Je vous salue Marie pleine de grâce, dit Paulette immobile.

Michel se retourna surpris.

— Pleine de grâce, insista Paulette en le fixant dans les yeux.

Michel plaça en croix deux bouts de lattes et commença de les clouer.

— LE SEIGNEUR EST AVEC VOUS, rythma-t-il à coups de marteau.

Un morceau de bois se fendit dans toute sa longueur.

— Zut, dit Michel.

— Le Seigneur est avec vous, récita Paulette.

Michel reprit une autre latte.

— Vous êtes bénie entre toutes les femmes.

— Vous êtes bénie entre toutes les femmes.

Michel recommença de clouer.

— Et JÉSUS, le FRUIT de VOS ENTRAILLES est BÉNI.

— Et Jésus le fruit de vos entrailles est béni.

Paulette réfléchit longuement. Des prières c'était quelque chose qu'on récitait très vite, sans faire attention, en faisant psch, psch, psch, psch, comme monsieur le curé. Elle répéta très vite plusieurs fois : le fruit de vos entrailles est béni, le fruit de vos entrailles est béni, le fruit de vos entrailles est béni. Mais même très vite, même à voix basse, ça ne faisait pas psch, psch, psch, psch, psch. Et puis tout de même, on avait le droit de savoir. Elle demanda :

— C'est quoi les entrailles?

Michel s'immobilisa, le marteau en l'air. Il cligna des yeux, regarda le fond du grenier et expliqua en hésitant :

— Les entrailles?... Ça doit être là, où le Georges est blessé.

Il y eut un long silence où les deux enfants médi- tèrent, puis Michel ordonna :

— Continue.

— Et Jésus le fruit de vos entrailles est blessé, dit Paulette.

— Est béni! hurla Michel.

— Est béni, rectifia Paulette.

Michel lança encore un juron, parce qu'avec les deux lattes, il avait aussi cloué le plancher. De toutes ses forces, il tira, et parvint à les détacher. Il brandit la croix :

— Elle est belle, hein? elle est belle.

Paulette resta muette les yeux grands ouverts. Michel parut un peu déçu, examina son œuvre dans tous les sens, et resta songeur un instant.

— Ça pue encore? demanda-t-il.

— Non. Ça pue plus, dit Paulette.

Michel respira, soulagé, et aussitôt, entreprit la confection d'une seconde croix.

— Sainte Marie, Mère de Dieu, priez pour nous, pauvres pécheurs...

— ...pauvres pécheurs, reprit Paulette en imaginant un noyé qui s'en allait à la dérive, tout entortillé dans un long fil blanc, avec des morceaux de canne de jonc et un bouchon rouge qui suivaient...

Michel cogna le sol et les lattes de son marteau, de toutes ses forces, et Paulette sursauta.

Georges aussi sursauta dans son lit, et puis la mère, Berthe et Renée, et puis Raymond, Daniel et leur père qui rentraient du bistrot.

— Qu'est-ce qu'ils foutent? dit le père.

Puis il se tut, car il avait d'autres préoccupations. « Des prières, des prières, pensa-t-il, il en a de bonnes le Joseph. Il croit que tout le monde est curé comme lui. »

Il se tourna vers Raymond :

— Tu les sais, toi, tes prières?

Raymond se gratta la tête et le père sortit un pain de la huche. On entendit Georges qui balbutiait quelque chose, et la mère qui répondait :

— T'as bien raison, pour sûr.

Le père coupa une tranche de pain et s'adossa au mur. Il interrogea Raymond du regard avec insistance. Raymond sortit son couteau de poche, se cura l'ongle du pouce, puis une dent creuse, et lança le couteau sur la table.

— Ben, comment qu'on y disait à la grand-mère? demanda-t-il. « Notre Père qui êtes aux cieux... »

Daniel intervint :

— A la grand-mère, on y disait Marie. « Je vous salue Marie. »

Tout le monde resta perplexe. Le père observa sa femme et ses filles. Elles devaient bien savoir, elles, qui allaient à la messe le dimanche. Mais la mère s'affairait sans cesse entre Georges et la cuisinière, Renée cousait près de la fenêtre et Berthe rêvassait sur le pas de la porte. Une poule qui s'était aventurée entre les jambes de Daniel s'enfuit en battant des ailes. Le père s'impatienta :

— Ben, les filles, vous dites rien?

— Moi, je vous ai toujours dit d'acheter un caté-chisse à Michel, triompha Berthe. Y en aurait des prières dedans. Mais y a rien à faire.

Renée eut une idée :

— Y a qu'à dire « je crois en Dieu »? Tu crois pas, la mère?

La mère souleva le couvercle d'une marmite pour en sortir des choux, des carottes, des poireaux, des navets, dans un grand jet de vapeur, et elle objecta :

— « Je crois en Dieu »? c'est bien long. Y a guère que le curé pour la savoir celle-là.

Elle mit les choux, les carottes, les poireaux, les navets dans une grande écumoire et la secoua au-dessus de la marmite. Puis elle proposa :

— Ben le Georges, qu'est-ce qu'il veut qu'on lui dise?

Georges dit avec peine :

— Moi, je veux pas qu'on me dise « Marie ».

Le plafond fut soudain ébranlé de plusieurs coups violents, tout le monde sursauta à nouveau, et un petit morceau de plâtre tomba sur la table.

— Cré vingt Dieux! dit le père.

Et comme le problème des prières s'avérait inso-luble, il décida :

— Je vas voir.

Le père escalada l'escalier de bois et rencontra en chemin les chaussures de Michel.

— Cré vingt Dieux! répéta-t-il.

Puis il s'arrêta et tendit l'oreille. Le bruit du marteau avait cessé, et il entendit la voix des enfants.

— Amen. Pourquoi qu'elles finissent toutes pareilles?

— Ça veut dire que c'est fini. Recommence.

— Amen.

— Non. Recommence tout.

— Notre Père qui êtes aux cieux...

La voix de Paulette fut couverte par le vacarme du plancher qui tremblait sous les coups, et le père se remit en marche.

Paulette dit :

— Que votre règne arrive... et elle vit tout à coup M. Dollé qui empoignait Michel par le col.

Michel s'échappa et il y eut une grande cavalcade autour du grenier, le père martelant le sol de ses gros sabots, Michel pieds nus, silencieux, étonnamment souple et rapide, courant, stoppant, piétinant sur place, sautant, tombant, se faufilant entre les bras et les jambes de son père. Il passa sur le tas de graines, glissa et s'y affala de tout son long. Il voulut se relever mais les graines roulaient sous ses pieds, sous ses mains, sous son corps et il retomba impuissant. Le père Dollé put enfin l'empoigner solidement. D'un geste il le dressa sur ses jambes et lui administra une paire de gifles.

— Hou! fit Paulette.

— Tu sais pas qu'il lui faut du calme? hurla le père. Hein? du calme et des prières qu'il a dit le Joseph, hein?

Michel protégea sa joue gauche de son bras, et reçut une gifle sur la joue droite.

— Ben zut alors! Je lui apprenais ses prières!

— Je les sais pas! Je les sais pas! Je les sais pas! dit Paulette terrorisée.

Le père ramassa une croix sans lâcher Michel.

— Et ça, c'est une prière?

Michel cacha tout son visage dans son coude replié.

— Tu fais des croix dans la maison d'un malade? Tu veux le faire mourir?

Il secoua brusquement Michel.

— Je vas te les apprendre, moi, tes prières.

Michel tenta encore de s'échapper, mais le père tenait bon et l'enfant capitula. Il se laissa aller tout entier, les bras ballants, fléchissant sur ses jambes, et le père l'entraîna vers l'escalier.

Paulette entendit les pieds nus de Michel et les sabots du père alterner sur les marches de bois, puis les pas qui se perdaient dans la cour, et puis plus rien, plus rien, pas même un éclat de voix dans la cuisine.

A vrai dire, ses oreilles bourdonnaient, et les battements de son cœur résonnaient si douloureusement que rien d'autre ne lui était audible.

Paulette avait observé toute la scène, sans bouger de son lit, toujours raide et droite, mais maintenant elle tremblait de tous ses membres. M. Dollé avait une voix terrifiante, et des grands gestes, avec ses grands bras, ses grandes mains, ses mains qui avaient saisi Michel et l'avaient secoué, secoué, lui, si frêle avec ses pieds nus silencieux. Et Paulette regretta soudain que Michel se fût déchaussé. Avec ses grosses galoches il eût pu se défendre, cogner, frapper, dans les jambes, dans les bras, dans le ventre de M. Dollé comme le cheval qui s'était bien défendu contre Georges. Longuement Paulette médita, cherchant une vengeance possible. Il fallait attraper M. Dollé, l'étendre à terre et lui tordre les pieds, les lui retourner complètement; lui crever les yeux avec une binette et mettre à la place des petits volets en cuir, comme ceux qu'il mettait aux chevaux; lui couper carrément les jambes pour l'obliger à marcher sur la tête, et à se cogner chaque fois qu'il voudrait faire un pas; l'attacher après un arbre et puis amener des vaches, des veaux, des chevaux, des ânes qui lui battraient la figure de leurs queues, des cochons qui lui perceraient le ventre avec leurs queues en tire-bouchon, pendant que tous les oiseaux du monde lui piqueraient le crâne avec leurs becs; lui enfoncer une des croix de Michel sur le sommet de la tête, une croix qui se mettrait à tourner tout d'un coup, comme une hélice, qui l'emporterait jusqu'aux nuages, et qui s'arrêterait de tourner, tout d'un coup, pour le laisser tomber juste dans le trou d'un puits tout noir, et puis, tout d'un coup, on mettrait un couvercle sur le puits, et il ne pourrait plus ressortir, jamais. Et puis tout d'un coup, le feu qu'est dans la terre se mettrait à chauffer l'eau du puits qui se mettrait à bouillir. Y aurait plein de vapeur, et puis tout d'un coup la vapeur ferait sauter le couvercle du puits. Ça ferait une grande explosion et M. Dollé tout d'un coup serait projeté en l'air en petits morceaux qui retomberaient un peu partout. On n'aurait plus qu'à les recoller comme on voudrait. On ferait une tête avec un genou, et puis un doigt de pied pour faire un nez, et on mettrait les yeux dans le creux de la main pour qu'il ne puisse plus donner de gifles. Ça serait bien fait.

Paulette serra les poings et les dents, et pensa : le mordre ou lui cracher à la figure. Puis elle resta un long moment sans penser, et soudain un bruit confus la fit sursauter : dans la cuisine, on remuait des assiettes, des fourchettes, des couteaux, des verres, et tout cela cliquetait joyeusement. Dans la cuisine on mangeait, on mangeait sans Paulette. Alors elle s'étendit de tout son long sur la paillasse et s'agrippa rageusement aux couvertures. Puis elle pensa à Michel qui devait subir la même punition et en oublia sa propre colère. Michel, lui, devait pleurer de tous ses petits yeux, en avançant sa grosse lèvre. Il avait reçu des gifles, il était privé de manger, et Paulette lui avait dit « ça pue »...

Et soudain elle pensa qu'elle ne reverrait peut-être plus Michel. M. Dollé avait dû lui interdire de monter au grenier, de l'approcher, de lui parler. Paulette en éprouva un curieux malaise. Elle aimait bien Michel. Le matin, avant l'enterrement du chien, c'était encore pour elle un étranger hostile, qui la troublait dans sa solitude. Puis elle avait trouvé qu'il traînait une bonne odeur de lait, à la place de cette puanteur de fumier des autres. Michel avait des cheveux noirs sous son béret, noirs comme la tache noire du chien, des cheveux qui devaient être souples et tièdes sous la main.

« Demain, pensa-t-elle, je lui ferai retirer son béret. »

Puis à nouveau elle pensa que demain M. Dollé les tiendrait séparés comme aujourd'hui, et elle en

éprouva une grosse envie de pleurer. Elle se recro-
quevilla sur son lit, serra ses genoux contre son corps,
et regarda tristement autour d'elle.

Le grenier lui apparaissait maintenant dans toute
sa pauvreté sordide. A son réveil, le soleil lui avait
donné un aspect un peu merveilleux. Mais à présent les
tuiles étaient ternes, les poutres sales, les toiles d'araignées grises...

Paulette tendit l'oreille espérant un peu un appel
de la souris du matin qui l'eût distraite, avec deux
petits yeux noirs et un petit nez pointu, une visite d'une
seconde, pas plus, juste pour voir. Paulette gratta
le plancher de son ongle, et s'arrêta soudain effrayée :
si M. Dollé allait l'entendre? Elle retint son souffle,
puis, avec précaution, s'étendit sur le lit la gorge
serrée.

Et tout doucement elle se mit à pleurer, comme
jamais encore elle n'avait pleuré : sans colère, sans
révolte...

Et tout doucement elle s'endormit.

— Donnez-nous aujourd'hui notre pain quotidien...,
dit Michel.

Il ajouta larmoyant :

— Papa, j'ai faim.

Le père se retourna la bouche pleine :

— T'es puni. Récite tes prières.

Et il replongea le nez dans son assiette.

Après la correction de tout à l'heure, le père avait
enfermé Michel dans le cellier. Il y était resté jusqu'à
la fin du repas pleurant à chaudes larmes, désemparé.

Une fois, il avait voulu prendre un balai pour communiquer avec Paulette en frappant le plafond. Mais le souvenir de la paire de gifles était encore trop proche et il n'avait pas osé. Quand le père ouvrit la porte, il vit Michel assis au pied d'un tonneau. Il lui commanda de prendre une binette et Michel s'exécuta sans difficultés. Tout l'après-midi il aida la famille à piquer les betteraves, puis il revint le soir, épuisé. Il parvint à échapper quelques minutes à la surveillance paternelle et monta aussitôt au grenier : Paulette était endormie, toute habillée, et il ne voulut pas la réveiller. Il redescendit et attendit avec impatience l'heure du repas. Ce fut long, très long... Enfin, à la nuit tombante, la mère mit le couvert et Michel s'apprêtait à se mettre à table quand le père intervint :

— Puisque tu sais tes prières, tu vas les réciter pendant qu'on mange. Le Joseph l'a dit.

Comprenant qu'il serait encore privé de dîner, Michel avait fondu en larmes, sans méchanceté, sans haine, simplement parce qu'il n'avait pas mangé depuis son réveil, et qu'il avait faim, très faim. Mais sur Michel, l'autorité du père était encore intacte, et Michel avait dû obéir. Agenouillé entre les deux lits contre la porte du cellier, il s'était mis à réciter des prières inlassablement : « Je vous salue Marie », « Je crois en Dieu », « Notre Père qui êtes aux cieux ». Parfois il s'arrêtait, suppliant qu'on lui donnât un morceau de pain, ou respirant simplement la bonne odeur de volaille, ou encore parce que l'image de Paulette s'imposait avec trop d'évidence...

Les autres mangeaient, silencieux, ou plus exactement muets, car ils faisaient beaucoup de bruit avec leurs cuillers, leurs couteaux, leurs plats, leurs lèvres, leurs langues et leurs gosiers. Et pour la première fois Michel s'impatienta de leur manière de boire et de manger bruyamment.

— Donnez-nous aujourd'hui notre pain quotidien, pardonnez-nous nos offenses, comme nous pardonnons à ceux qui nous ont offensés...

Georges, qui était resté silencieux de longues heures, poussa un râle étouffé.

— Ben quoi? dit la mère.

Michel s'arrêta un instant.

— Tu réponds pas à ta mère? demanda le père à Georges.

Georges eut encore une parole indistincte. La famille hésita, la fourchette à la bouche, Raymond fit même mine de se lever, mais comme Georges était redevenu silencieux, tout le monde se remit à manger, et Michel reprit son interminable défilé de Père, de Marie, de Jésus, tous les archanges, tous les apôtres et tous les saints, avec du pain, des fruits et des entrailles un peu partout.

— Ne nous laissez pas succomber à la tentation, délivrez-nous du mal...

Georges poussa une sorte de rugissement. Du coup, Raymond se leva, réellement cette fois, et approcha jusqu'au lit.

— Ça va pas? demanda-t-il.

Il y eut un curieux « glou-glou » dans la bouche de Georges.

— Ho! dit Raymond comme pour arrêter un cheval.

Et il se tourna vers la table :

— Il crache.

84

— Je vous salue Marie pleine de grâce, fit la voix de Michel, le Seigneur est avec vous...

Michel glissa un coup d'œil vers la famille.

Ils étaient tous immobiles la fourchette en l'air, avec un petit morceau de viande au bout, tout chaud, tout fumant, un petit morceau qui attendait un mot de Raymond pour se laisser manger.

— Il crache du sang, reprit Raymond.

Les morceaux de viande disparurent dans les bouches, sauf celui de la mère qui retomba dans l'assiette. La mère se leva et Georges articula quelques syllabes incohérentes.

— Puis, je comprends plus ce qu'il dit.

Le père se leva à son tour, et puis Daniel et Berthe, et ils se groupèrent autour du lit.

— Sainte-Marie, Mère de Dieu, priez pour nous...

Michel se tut, puis reprit très lentement. Si tout le monde s'approchait du lit il parviendrait peut-être à se glisser jusqu'à la table, à genoux, à quatre pattes, tout doucement, pour prendre un bout de pain, peut-être même une carotte ou un petit morceau de viande. Mais Renée était restée à table continuant de manger, la tête tournée vers Georges.

Georges fit :

— Aâoooâoaâobranche...

Et la mère répondit :

— C'est rien, mon gars.

Renée laissa tomber sa fourchette et vint se joindre au groupe près du lit.

— Notre Père qui êtes aux cieux...

Michel voulut ramper vers la table, mais il vit soudain que le père pouvait l'apercevoir. Adossé au mur, à la tête du lit, il surveillait toute la salle.

— Que votre nom soit sanctifié, que votre règne arrive...

— Grrrrooooâââ, fit Georges.

Il y eut un moment de stupeur dans la famille, puis quelques paroles éparses qui se transformèrent soudain en une rumeur confuse. Les voix s'amplifièrent, se mêlèrent, perçantes, caressantes, persuasives, désolées, criardes, assourdissantes, et Michel en profita pour se venger :

« Notre Père qui êtes aux cieux, vous êtes bénie entre toutes les femmes, donnez-nous aujourd'hui notre pain quotidien et Jésus le fruit de vos entrailles est blessé. Que votre volonté soit pleine de grâce. Notre Père, Sainte Mère de Dieu, donnez-moi du pain, donne-moi du pain quotidien, crotte alors, crotte, crotte, crotte, crotte, crotte...

Michel se pencha un peu et vit que la famille était toujours affairée.

— Merde, dit-il faiblement.

Puis il reprit un peu plus fort :

— Merde.

Et très vite :

— Merde, merde, merde, merde, merde, merde, merde, merde, alors!

Le père fit un pas vers la table :

— Crotte, crotte, crotte, rectifia Michel, sur la Terre comme au Ciel. Notre Père qui êtes aux cieux, que votre nom soit sanctifié...

Le tumulte des voix s'apaisa et le groupe se dispersa aux quatre coins de la pièce.

— C'est l'estomac, dit Daniel.

Les têtes se tournèrent vers lui :

— C'est l'estomac. Il a du sang dans l'estomac et il vomit. C'est forcé. Faudrait une purge.

— Y a de l'huile de ricin, dit la mère.

— Ben, y a qu'à lui en donner une goutte, ordonna le père.

Il y eut un instant de détente et chacun revint à table, soulagé par la découverte du remède, sauf Renée qui s'attardait près de Georges :

— Il a tout de même bien les yeux de la grand-mère, observa-t-elle.

Puis à son tour elle revint s'attabler. La mère vida son assiette et s'en fut au placard où elle dénicha une bouteille sale.

— Si ça fait pas de bien, ça fera pas de mal.

La voix monotone de Michel se fit moins forte, Michel chuchota, Michel se tut. Il y avait au pied du mur un grand trou, avec la queue d'une souris qui dépassait. L'attraper, sans bruit, et la porter à Paulette pour la consoler.

— Ben quoi? T'ouvres plus la bouche? dit la mère.

— Je vous salue Marie, reprit Michel...

Mais il s'aperçut que la mère s'adressait à Georges. Elle se tenait devant le lit, un peu ridicule, avec une cuiller dans une main, la bouteille d'huile de ricin dans l'autre.

Le père se leva :

— Faut le prendre par la douceur.

A nouveau il y eut une sorte d'exode vers le lit du blessé, mais cette fois Daniel protesta :

— Ça va refroidir.

Il retint Renée par le bras et tous deux continuèrent de manger tranquillement :

— Raisonne-toi, Georges, dit Raymond.

Il y eut un moment de silence couvert par le bourdonnement des prières de Michel.

— Regarde-nous, au moins, dit Berthe.

— Il ferme les yeux? demanda Renée sans bouger de table.

— Il a les yeux tout drôles.

— C'est peut-être qu'il dort, commenta Daniel la bouche pleine.

Le père commençait à s'impatienter. Somme toute, Daniel n'avait pas tort : ça refroidissait.

— Allons, bois ça. Donne-lui, la mère.

La mère protesta :

— Ben, il serre les dents.

— C'est peut-être ben qu'il est mort, commenta Daniel toujours à table.

Michel éprouva un petit choc bizarre dans l'estomac et reprit bien fort, comme pour dégager sa responsabilité :

— Notre Père qui êtes aux cieux, que votre nom soit sanctifié, que votre règne arrive, que votre volonté soit faite sur la terre comme au ciel...

Puis il baissa la voix parce que la queue de souris réapparaissait. S'il y avait eu du bruit, Michel se serait tu, pour l'attraper, mais un silence profond régnait soudain dans la salle.

Raymond secoua un peu Georges :

— Hé!... Hé!

Puis il regarda les autres, un peu embarrassé, et acquiesça :

— C'est peut-être ben qu'il est mort.

Le père se taisait, Berthe se taisait, la mère se taisait, Daniel et Renée mangeaient, guettant une confirmation.

Raymond toussota :

— Pour moi, il est mort.

Lui aussi exigeait une certitude. Et puis il voulut secouer l'inertie des autres.

— Tâte voir son pouls, dit-il au père.

Le père prit le poignet de Georges dans la main droite, resta immobile quelques secondes, s'arrêtant de respirer, et déclara :

— Je crois bien qu'oui qu'il est mort. Qu'est-ce que t'en dis, la mère?

La mère mit la bouteille d'huile de ricin sous son bras, et à son tour prit le poignet de Georges :

— Pour sûr qu'il est mort.

Puis elle passa le poignet à Berthe qui dit simplement :

— Oui, il est mort.

Daniel et Renée se levèrent de table pour venir à leur tour palper le poignet de Georges, et les autres s'éloignèrent un peu pour leur faire de la place.

La voix de Michel ronronnait toujours :

— Pardonnez-nous nos offenses comme nous pardonnons à ceux qui nous ont offensés, ne nous laissez pas succomber à la tentation...

— C'est peut-être plus la peine qu'il continue? demanda Raymond.

— Ben non! c'est plus la peine, articula le père.

— Amen, fit Michel.

Et il se releva en caressant ses genoux endoloris. Il

regarda longuement la table avec ses assiettes abandonnées et ses plats qui fumaient, sans savoir au juste que faire... Chacun demeurait immobile, dans un coin de la pièce. Juste au milieu, près de la table, la mère était plantée, stupide, avec la bouteille et la cuiller désormais inutiles.

Comme à regret, elle fit un pas vers le placard et s'arrêta, soudain inspirée :

— Ben, je vas purger Michel!

Enfin Michel éclata :

— Ah non! moi, je mange maintenant.

Il bondit à table et se mit à dévorer dans l'assiette de Raymond, tandis que Daniel avait un bon mouvement :

— Je vais en boire, va. Ça m'a tout détraqué.

— Moi aussi, dit la mère. Quel malheur.

Et elle se moucha longuement dans son tablier.

Près du lit, Berthe et Renée s'apprêtaient à pleurer. Leur ignorance des mots et gestes rituels semblait les avoir tous frappés de paralysie. Dans un silence pesant, la voix du père résonna :

— Quel malheur, dit-il.

Le lendemain matin, ce fut Michel qui réveilla Paulette. Il s'était levé très tôt et avait demandé à distribuer le grain aux poules. Rapidement, il s'était acquitté de sa tâche et s'était aussitôt enfui au grenier. Paulette était étendue sur le lit, comme la veille, toute habillée, un bras replié, l'autre allongé avec une petite main qui pendait dans le vide.

Michel hésita à la réveiller : peut-être allait-elle rire, bien qu'il ne l'ait encore jamais vu rire, peut-être allait-elle pleurer, peut-être, surtout, allait-elle se fâcher, se tordre et faire « crrrrr, crrrr, crrrrr », en serrant les dents et les poings. Hier elle s'était fâchée à cause d'une taupe morte. Toucher le corps de Paulette, la sortir de son sommeil, c'était un peu courir le risque d'un cataclysme. Et soudain Michel eut peur de ce petit corps fragile, un peu crispé même dans son sommeil. Un instant il eut l'idée de s'enfuir, mais quelque chose le retint confusément. C'était peut-être une admiration sans borne pour ce petit animal sauvage, indomptable, incompréhensible dans ses attitudes et ses pensées, et dont le mystère même, impressionnait Michel. C'était peut-être la crainte de ne

jamais la revoir : Paulette en se réveillant se rappelle-
rait la scène de la veille, et, toute à sa révolte, elle se
sauverait à toutes jambes vers une grande route avec
des chiens et des taupes mortes. C'était peut-être aussi
la curieuse attraction qu'exerçaient sur Michel le dessin
des sourcils incurvés, le lobe de l'oreille sous une
mèche de cheveux blonds, la chair blanche et lisse à
la naissance du cou que découvrait sa petite robe
déchirée.

Michel avança le doigt tout doucement, pour toucher, et s'arrêta, soudain effrayé de son audace... Pourtant cela faisait un petit creux, avec un peu d'ombre
au fond, et puis une petite saillie qui s'enfonçait doucement sous la chair. C'était l'os de l'épaule. On ne
savait pas d'où il venait, on ne savait pas où il allait,
ni comment il pouvait s'arrêter, là-bas, à l'endroit où
commence le bras. On ne savait pas comment le cou se
raccordait à l'épaule. Cela faisait une grande courbe
arrondie, on ne voyait pas de séparation. On ne savait
rien, rien de rien. Simplement, ça bougeait un peu de
temps en temps, en une sorte de réflexe imperceptible,
inattendu, un vrai réflexe de Paulette. C'était Paulette.
Tout à coup, Michel entendit du bruit dans la cuisine.
Il pensa que son père pouvait l'appeler d'un moment à
l'autre, et vite, très vite, presque inconsciemment, il
secoua légèrement le corps de Paulette.

Paulette ouvrit ses grands yeux, battit un peu des
cils et fixa Michel sans surprise. Puis elle se retourna
et se glissa jusqu'au bord du lit, pour s'y asseoir. Michel
s'étonna. Quand il se réveillait, lui, il lui fallait
s'étendre, se plier, étirer ses jambes et ses bras en tous
sens, il lui fallait remuer, faire de grands gestes inu-

tiles... Paulette en une seconde avait retrouvé son attitude familière.

— Bonjour, dit Michel.

Il s'efforçait de sourire, confusément craintif.

Paulette tourna brusquement sa tête vers Michel.

— Non! dit-elle.

Michel renifla. Il s'attendait tellement à une décep-
tion que ses larmes étaient déjà là, toutes prêtes. Mais
Paulette s'était soudain mise à trembler de tous ses
membres.

— Non! C'est défendu. C'est défendu. C'est défendu.

Le visage de Michel s'éclaira. Il eut envie d'embrasser Paulette.

— Mais non! Ça compte plus ce qu'il a dit hier! Le
Georges est mort!

Il voulut s'approcher, mais Paulette se recula
vivement.

— C'est défendu! C'est défendu!

— Puisque je te dis que Georges est mort!

Paulette eut encore un geste de défense.

— Écoute, dit Michel. Hier il était en colère parce
que ça faisait du bruit. Aujourd'hui, il n'y pense plus.
S'il savait que je suis là, il dirait rien.

Michel baissa la voix, hésitant à poursuivre.

— Seulement, tout de même, y a quelque chose...

Son regard fit le tour du grenier et s'arrêta sur les
lattes éparses, la croix de bois, le marteau et les clous
laissés la veille. Il soupira longuement, et se tourna
vers Paulette, tentant de soutenir son regard :

— Il dira plus rien, seulement, il veut que je lui
donne les croix, et puis les clous, et puis le marteau...

Paulette resta figée.

— Pour qu'on fasse pas de bêtises qu'il a dit, poursuivit Michel.

Paulette resta silencieuse un long moment et finit par demander :

— Pourquoi?

Michel eut un geste vague. Il regarda Paulette de ses petits yeux, et quelque chose l'avertit qu'elle avait beaucoup de peine, malgré son buste rigide et son visage impassible.

Michel se leva, ramassa la croix, et vint se rasseoir en silence. Hier, il eût attendu un mot de Paulette, mais aujourd'hui, il savait qu'elle resterait muette, obstinément. Il chercha à la distraire :

— Hier soir, j'ai vu une souris grosse comme ça.

— Quelle couleur?

— Je sais pas... j'ai vu que la queue... longue comme ça.

— Grise? insista Paulette.

— Oui, peut-être bien...

Mais Michel ne savait pas parler des souris. C'était difficile de parler d'une souris grise. Il eût fallu qu'elle fût verte, ou rouge, ou jaune, ou bleue. Il joua un peu avec la croix et s'arrêta pour dévisager Paulette une nouvelle fois.

La voix du père retentit d'en bas :

— Michel!

— J'ai peur, j'ai peur! frémit Paulette.

— Non, dit Michel.

Il ramassa les lattes et les outils sur le sol, fit quelques pas vers l'escalier, et brusquement se retourna vers Paulette.

— Tu veux quelque chose pour te consoler?

Paulette avait toujours ses grands yeux immobiles, mais, pour la première fois, Michel sut y pressentir quelque chose. Paulette avait besoin d'être consolée.

— Je te ferai des croix, des autres, plus belles, promit Michel.

Les yeux de Paulette ne changèrent pas, mais Michel y lut qu'elle acceptait d'être ainsi consolée.

Radieux, Michel descendit l'escalier et courut à la remise déposer son fardeau.

Puis, à nouveau, il entendit la voix du père qui l'appelait et le vit soudain immobile au milieu de la cour, entouré de la mère et de Raymond qui parlaient à voix basse.

Michel s'approcha lentement, encore un peu craintif. Il entendit qu'on parlait de Berthe et de Francis Ganard et supposa que le Francis était rentré. Le père confirma aussitôt :

— Tu vas aller derrière chez Ganard. Tu regarderas dans la cuisine et tu viendras nous dire si c'est lui.

Michel fit quelques pas pour s'éloigner.

— Attends, dit le père. Tu vas prendre un sac et une serpette. Tu feras semblant de couper de l'herbe. Et surtout ne te fais pas voir.

Michel courut à la remise et sortit avec un sac sur le dos.

★

Francis Ganard avait été le seul mobilisé du hameau. Chez les Dollé, Raymond était réformé pour son albumine, Daniel était trop jeune encore, quant à Georges il avait, des mois durant, attendu un ordre de départ qui n'était jamais venu.

Francis Ganard avait eu moins de chance, et dès le troisième jour de guerre il avait dû rejoindre un régiment de cavalerie motorisée. La famille Ganard en avait éprouvé un profond dépit, et les Dollé en avaient ouvertement jubilé de longues semaines — sauf Berthe. Car Berthe était amoureuse de Francis et elle voulait l'épouser. On ne savait pas au juste comment cela avait commencé. Mais un jour, longtemps après l'histoire de la médaille, le père les avait surpris sur le bord du ruisseau. Berthe avait reçu une correction exemplaire et l'on avait exercé sur elle une étroite surveillance. Mais en secret, et malgré toutes les menaces, **elle** avait continué à voir Francis. Le jour de son départ, Berthe avait été malade pour pouvoir pleurer tranquillement.

Puis, au hasard de la guerre, Francis avait été promené du Nord au Sud, de l'Est à l'Ouest, et, un beau jour, la débâcle était venue. Depuis plusieurs jours déjà, il avait abandonné sa chenillette accidentée poursuivant la retraite à pied. Il était resté seul de toute sa compagnie, sans matériel, sans chefs. Les officiers qu'il avait vus fonçaient à toute allure dans de luxueuses voitures, vers une destination mystérieuse. Des capitaines, des commandants, des colonels, des généraux, à croire qu'il n'y avait plus que des officiers dans l'armée française. Ce qui était certain c'est qu'à cette allure, ils n'allaient pas au front.

Francis avait vu aussi des Anglais, par centaines de camions, des fantassins, des artilleurs, des aviateurs, qui semblaient faire la course avec les officiers. Lui aussi, d'ailleurs, aurait bien fait la course, mais, avec ses jambes de cavalier motorisé, il n'était pas de taille. Puis il avait rencontré des soldats, sans accent et sans grades, des Français, artilleurs sans canons, aviateurs sans avions, fantassins sans fusils, et simplement il avait suivi la troupe.

Ce matin-là, Francis était passé au bourg à proximité du hameau et il avait dit :

— Ils nous emmerdent avec leur guerre.

Il avait serré quelques mains, payé un litre ou deux, et tranquillement avait repris le chemin de la maison.

Le père Dollé qui déjeunait dans sa cuisine, avait vu un soldat pénétrer dans la cour des Ganard, et son sang n'avait fait qu'un tour, à cause de la Berthe qu'il allait falloir surveiller de nouveau, si vraiment c'était le Francis.

Chez les Ganard, il y avait eu quelques cris, quelques effusions, et presque immédiatement le père avait entrepris une discussion oiseuse : de son temps les cavaliers montaient à cheval, maintenant y avait plus que des cavaliers à moteur qui restaient en panne. Et puis en 18 on avait tenu, avec les chevaux, on avait gagné la guerre, avec les chevaux. Les moteurs, ça allait plus vite, mais pour se débiner seulement.

Francis avait protesté, ravi au fond, car il était toujours bon d'avoir à sa disposition un sujet de dispute, qu'il pourrait envenimer à loisir pour pouvoir dire un jour :

— Ah! c'est comme ça? Puisque c'est ça, j'épouse la Berthe.

★

Michel chercha la place judicieuse. Ici, il y avait de l'herbe, mais on ne voyait pas la fenêtre. Un peu plus loin, on voyait la fenêtre, mais il n'y avait pas d'herbe. De l'herbe il y en avait, là-bas, tout près de la maison, contre le grillage, à cinq ou six mètres à peine de la fenêtre. C'était difficile de ne pas s'y faire voir.

A quatre pattes Michel avança. Somme toute, le grillage lui donnait l'impression d'une certaine sécurité. Une ombre passa derrière la fenêtre et Michel s'arrêta, puis il parvint à se traîner jusqu'au grillage.

A l'intérieur de la maison c'était tout noir avec des rideaux blancs.

Michel cligna des yeux, attentif, et peu à peu il commença à discerner des formes animées. Le père Ganard, c'était facile de le reconnaître, avec sa casquette en arrière et sa moustache. Il faisait de grands gestes quand il parlait, comme le père de Michel, comme tous les pères du monde. Pour l'instant, Michel ne voyait pas les moustaches, mais la casquette était là avec les gestes de père, tournant le dos à la fenêtre. L'ombre de tout à l'heure repassa, une ombre claire, qui frôla la fenêtre, déplaçant un peu le rideau blanc, et cette fois Michel put voir distinctement l'intérieur de la pièce. L'ombre claire c'était Marcelle, la fille, et l'autre fille, Jeanne, on la voyait dans le fond, claire aussi. Sur la table, il y avait la tache blanche d'un bol de faïence, et régulièrement on apercevait une autre tache plus sombre, qui s'y trempait, s'en écartait, s'y retrempait, s'en écartait, inlassablement.

Une poule et quelques poussins vinrent près du grillage que Michel découvrit largement ouvert près du poteau de bois.

Puis il s'efforça de retrouver la tache blanche immobile et l'autre tache mouvante. Sûrement, c'était quelqu'un qui déjeunait plongeant une tartine dans un bol. Cela pouvait être Francis, mais cela pouvait aussi bien être la mère Ganard. Tout à coup, il s'aperçut que les moustaches étaient visibles, et vite, il prit sa serpette, coupant quelques touffes d'herbes, tournant le dos à la maison, prêt à prendre la fuite. Puis comme personne ne l'interpellait, il se retourna doucement et laissa tomber son outil.

La poule et ses poussins avaient traversé le grillage par le trou, et s'avançaient lentement vers Michel, zigzaguant au hasard des grains de blé épars. Michel les regardait, un peu fatigué de sa mission fastidieuse, sans parler, sans penser... Puis il se dit que Paulette, elle, eût trouvé quelque chose à dire, un mot pour la poule, un mot pour chacun des poussins... A quelques mètres, la poule s'arrêta, dévisageant Michel, une patte en l'air, la tête penchée. Michel tenta d'imiter Paulette, en ouvrant de grands yeux, regardant fixement. Et soudain Michel fit un bond prodigieux. En un clin d'œil il empoigna deux des poussins, tandis que la poule et sa couvée fuyaient, éperdument. Michel serra les mains de toutes ses forces, puis les rouvrit doucement : dans chacune d'elles, il y avait un poussin jaune, inerte, pitoyable.

Vite, il les glissa au fond du sac et fébrilement se

remit à couper de l'herbe. Contre le grillage, il y avait maintenant une multitude de poules qui semblaient protester bruyamment. Courbé en deux, Michel s'éloigna un peu de la maison.

— Tu veux que je t'aide?

« Ça y est », pensa Michel.

— Tu veux que je t'aide? reprit le père Ganard.

Michel se retourna vivement :

— C'est papa qui l'a dit.

Et par la fenêtre ouverte, il vit derrière les moustaches et les grands gestes, la silhouette de Francis en militaire. Subitement, il prit ses jambes à son cou, discernant mal les paroles du père Ganard :

— Ben, je vas lui dire deux mots.

Michel, à toutes jambes, contourna la ferme Ganard, traversa la route, puis la cour, et s'engouffra dans l'escalier du grenier en hurlant :

— Papa, le v'là! Papa, le v'là!

Puis il s'arrêta, redescendit quelques marches et ajouta :

— Puis le Francis il est là!

Le père Ganard suivait Michel de très près. A peine l'alerte fut-elle donnée qu'il fit irruption dans la cuisine. La mère, pressentant l'orage, lui fit « chut! » en désignant le corps de Georges étendu dans son lit. Mais Ganard n'avait pas l'intention de s'émouvoir. Il traita Dollé de voleur, en précisant que l'herbe lui appartenait. Dollé prit d'abord un air étonné, puis choqué, puis révolté, et il traita Ganard de feignant. Ganard aussi le traita de feignant, et ils passèrent un bon moment à chercher le plus feignant des deux. Ganard menaça Dollé du poing et Dollé menaça Ganard du pied. Alors Dollé dit à Ganard que le plus feignant c'était encore son fils, et Ganard dit à Dollé que le plus feignant c'était encore son fils. Et ils rentrèrent leurs poings et leurs pieds. Mais Raymond, qui arrivait, se fâcha tout rouge, disant qu'il n'était pas plus feignant que ses filles, qui étaient putains en plus. Ganard lui dit qu'en fait de putain on s'y connaissait chez les Dollé, et Dollé le père lui demanda s'il avait pas bientôt fini d'hurler comme ça dans la chambre d'un mort. S'il avait été à la guerre au lieu de se planquer, il serait peut-être pas mort. Mais le Francis il était pas déserteur peut-être bien? Hein, dis-le voir? Et le Raymond qu'est-ce qu'il foutait là à son âge? J'ai de l'albumine! Tous des crevés! Déserteur! Crevé! Connard! Fils de pute! Père de pute! Pute toi-même! et tout le bordel.

Michel attentif avait porté le doigt à sa bouche pour imposer silence à Paulette, comme si Paulette risquait de parler.

Les échos de la dispute leur parvenaient assourdis, Michel guettant son nom, et Paulette « morpion » ou « trou du cul ». Puis ils se lassèrent de l'uniformité des éclats de voix, et Michel regarda Paulette avec malice :

— Qu'est-ce que j'ai dans mon sac?

Paulette fixa Michel.

— Devine, insista Michel. Qu'est-ce que j'ai dans mon sac?

Paulette n'aimait pas ce genre de jeu. Mais maintenant elle éprouvait le désir de ne plus jamais peiner Michel. Elle chercha un instant ce qu'elle aimerait y trouver :

— Des petits poulets jaunes, dit Paulette sans sourciller.

Michel resta bouche bée, désarçonné.

— Des poulets jaunes qui font cui-cui.

— Non, triompha Michel, ils sont morts.

— Des poulets qui faisaient cui-cui, rectifia Paulette très vite.

— Montre, montre! supplia Paulette.

Michel ouvrit le sac et y plongea la main. Puis il se ravisa, prit le sac par le fond et le secoua sur le plancher. Les deux poussins tombèrent au milieu d'une poignée d'herbe.

— Oh! oh! fit Paulette transportée de joie.

Avec de grandes précautions, elle prit un des poussins entre ses mains et plusieurs fois elle le caressa. Puis elle regarda Michel. Il y eut une petite ride, au coin de ses grands yeux gris, et Paulette se mit à rire. Une seconde Michel demeura stupéfait, et il se mit à rire lui aussi, battant des mains, secouant la tête en tous sens, tambourinant des pieds sur le plancher.

Mais Paulette déjà, avait retrouvé sa gravité. Elle ramassa le second poussin, et, dans ses deux mains jointes, les observa longuement, l'un contre l'autre. Ils ne semblaient avoir qu'un corps, avec deux têtes, deux petits becs pointés vers Paulette. Puis elle pencha son visage et les caressa doucement de sa joue...

Michel observait, radieux. Le moindre geste de Paulette était devenu pour lui un ravissement, surtout ces gestes calmes qu'elle avait pour les bêtes, délicats, attentifs, si surprenants chez elle, si sauvage et brusque, toute en réflexes violents.

Paulette posa les poussins sur le lit et les contempla les mains croisées sur les genoux. Puis elle fixa Michel :

— C'est pas toi qui les as tués? demanda-t-elle.

Michel hésita. Paulette se fâchait pour une taupe et des ronds dans l'eau...

— Non, hasarda-t-il.

— Tu me le jures?

Michel était sur la bonne voie :

— Oh oui! fit-il avec assurance.

Il chercha un peu, fixant un point du plafond.

— Moi, dit-il, j'ai voulu leur donner à boire et ils avaient les yeux tout drôles. Alors j'ai dit : « C'est peut-être bien qu'ils dorment. » Et pis aussi, ils serraient les dents, alors j'ai dit...

Michel se reprit, à regret :

— Ils serraient le bec, quoi!... alors, j'ai dit : « C'est peut-être ben qu'ils sont morts... »

— Ah? fit Paulette.

— Oui, dit Michel, et mentalement il recommença son récit pour lui seul...

Paulette ordonna :

— On va aller au ruisseau avec.

— Oui, dit Michel. Tu vas mener les vaches avec moi. On ira en revenant. T'es contente?

Michel lut « oui » dans les yeux de Paulette.

— Et puis je te ferai des croix pour aller avec.

Ganard s'en alla en trébuchant comme un homme saoul. Il n'avait cassé qu'une vieille cruche ébréchée, mais le père Dollé était furieux quand même. Encore bien heureux que la Berthe n'eût pas été là, parce qu'on l'avait dit et répété que le Francis était rentré!

Il y eut un instant de calme insolite, et les feignants déserteurs, les putains, fils de pute, père de pute, tourbillonnèrent en silence et retombèrent, épars, autour du corps de Georges. Puis le père appela Michel et Michel répondit « oui », sans venir. Le père s'impatienta, appela Michel à nouveau, et Michel vint après s'être fait attendre juste le temps qu'il fallait pour ne pas recevoir de gifles.

Michel vit son père tout rouge et s'approcha sur la défensive.

— On t'envoie voir et c'est toi qui te fais voir, dit le père en colère.

Michel protesta en accusant les poules qui s'étaient mises à caqueter sans raison. Le père en colère ne voulait pas le savoir, et le Ganard avait cassé la cruche. Le père en colère dit :

— Puisque c'est ça tu vas venir au corbillard travailler avec moi.

Michel protesta encore parce qu'il voulait conduire les vaches, et accompagner Paulette au bord de l'eau. Michel protesta, en fixant un chaudron rouge qui devint ovale, plus haut que large, plus large que haut, tout tremblant sur les bords d'une infinité de petites franges scintillantes. Puis il y eut des franges sur les joues rouges du père, des franges grises au bord des yeux, des franges sales autour des mains, des joues, des yeux, des mains, tout humides et tremblantes.

— Pas la peine de chialer, dit le père. On obéit à son père.

Michel se moucha dans son bras, retint ses larmes un instant et fit :

— Crrrrr!

Le père le regarda surpris, et les sanglots de Michel redoublèrent, parce qu'il sentait une correction toute proche, parce qu'il n'irait pas aux vaches, parce que, surtout, il n'arrivait pas à imiter Paulette, même en faisant « crrr! », un « crrr » timide, un peu mou, maladroit, pas à la mesure de sa révolte, et confusément il s'en jugeait ridicule.

— La Berthe ira aux vaches. Va lui dire.

Michel pensa : « Je veux pas, je veux pas, je veux pas », mais spontanément il prononça :

— Oh! alors!

Puis il se tourna vers la porte et vit la cour frangée, la route frangée, les toits frangés, et il sortit la tête basse. Il essuya ses larmes et renifla très fort, puis se dirigea vers l'écrémeuse qui chantait dans la remise. Au beau milieu de la cour il pensa à son « crrrr » manqué, et en rougit de confusion et de honte. Puis, par la porte entrouverte, il vit Berthe manœuvrant l'écrémeuse, et il rougit plus violemment encore. Un jour, au bourg, on lui avait dit méchamment : « Ta sœur qui bat le beurre... »

La petite musique de l'engin s'apaisa doucement et Berthe dit :

— Te v'là?

Michel restait immobile sur le seuil.

— Te v'là, reprit Berthe, comme si elle n'eût jamais battu le beurre de sa vie.

Michel eut envie de lui lancer une pierre en pleine figure. Mais Berthe continuait :

— Qu'est-ce qu'il dit le père?

— Il veut que t'ailles aux vaches.

— Et toi?

— Moi, il veut pas.

Et soudain Michel annonça :

— Le Francis, il est rentré.

Michel se vengeait.

— Il est rentré, et faut pas que je te le dise.

Michel se vengeait, sans savoir au juste à qui s'en prendre : Berthe, Francis, le père, les vaches, le beurre.

— Qu'est-ce que tu prendras comme volée s'il te voit avec lui!

Michel pensa qu'une gifle pouvait exister, sans pour cela lui être destinée. Cela n'arrangeait tout de même pas les choses. Berthe transvasa la crème d'un seau gris dans un autre seau gris, et Michel suivit son mouvement, la tête penchée...

— J'ai une idée, dit-il.

— Quoi?

— Moi je veux bien que t'ailles aux vaches.

— Faut bien.

— Moi, je veux bien. Je dirai même au Francis d'y aller sans se faire voir. Seulement, faut que t'emmènes la Paulette, puis que tu la laisses aller où qu'elle voudra.

— Moi je veux bien l'emmener la Paulette, dit Berthe.

— Tu regarderas pas où qu'elle va, tu diras rien au père, ou moi, j'y dirai tout, Francis et tout.

— Je veux bien l'emmener, confirma Berthe.

Michel s'éclipsa aussitôt, et Berthe sortit avec les deux seaux gris...

Dollé, les vaches, Michel, Berthe et Paulette, traversèrent la cour en procession. Au seuil de la ferme, Berthe et Paulette tournèrent à droite, Michel et son père tournèrent à gauche, et les vaches hésitèrent un instant, désorientées. L'une d'elles s'engagea derrière Berthe, suivant son chemin coutumier, une autre voulut suivre Michel, son gardien coutumier. Mais le père fit de grands gestes en criant, et la vache meugla en remuant la tête. Le père aussi remua la tête en criant quelque chose à Berthe, et la vache fit demi-tour, emmenant au petit trot le reste du troupeau. Le père s'éloigna en faisant de grandes enjambées, et Michel trébucha parce qu'il se retournait vers Paulette. Il reprit son équilibre et trottina pour rattraper son père, puis à nouveau se retourna longuement, en marchant, agitant son béret au bout de son bras...

Paulette marchait aux côtés de Berthe, et elle aussi fit « adieu » avec ses grands yeux, tournant la tête tous les dix pas, d'un petit mouvement brutal, mécanique, un mouvement d'une seconde.

Michel de son bras, Paulette de ses yeux, ils se saluèrent interminablement jusqu'à ce qu'un coude de la route les rendit finalement invisibles l'un à l'autre.

Berthe vit que Paulette avait la poitrine gonflée et elle demanda :

— Qu'est-ce que t'as sous ta robe?

— Rien, dit Paulette.

Et elles continuèrent à marcher en silence. Lorsqu'elles arrivèrent au croisement de la chapelle, Paulette annonça :

— Puis d'abord, je vais par là.

Elle prit le chemin de droite, et Berthe ne demanda

rien parce que Francis l'attendait au bout de la route, un vélo à la main.

Michel trouvait son père tout drôle avec ses gros sabots, son père qui remplaçait les vaches, son père avec une queue, des cornes, et un museau qui bave, et il fut heureux de son idée soudaine, parce que des cornes, une queue, et un museau qui bave, ça pouvait se raconter à Paulette. Michel partit au galop, et plusieurs fois fit le tour de son père en marche. Il y avait une infinité de traces de pas dans la poussière, et sous la poussière, des bouses de vache sèches et plates, comme les tourtières où Berthe faisait les tartes les jours de fête ou d'enterrement. Demain, il y aurait des tartes dans des tourtières plates, avec des mouches en attendant qu'on les mange. Il y avait des mouches sur les bouses de vache, des mouches qui faisaient du bruit avec leurs ailes, entre deux bouchées, mais pas en mangeant, pas un bruit de lèvres ou de gosier comme le père ou la mère. Ça pouvait se raconter à Paulette. Les papillons c'était mieux encore, blancs, bleus ou jaunes, silencieux... Il y avait aussi des bouses de vache toutes neuves, luisantes, sortant du four, un peu fumantes et bien rondes.

— Où que tu vas?

Michel sursauta.

— Ben quoi, c'est là! insista le père.

Michel revint sur ses pas. Il avait dépassé la remise du corbillard d'une bonne dizaine de mètres. Il rejoignit son père sur le seuil et pénétra dans la remise, un peu curieux. Il y faisait sombre et frais.

— Qu'est-ce que je vais faire? demanda-t-il.

Le père fit quelques pas, les mains dans les poches, puis s'arrêta en contemplation.

— Tu feras ce que je vais te dire.

Le père repartit lentement, et fit le tour du véhicule suivi de Michel. Après la blancheur éclatante de la route, l'obscurité était pénible à l'œil. Le corbillard c'était une voiture noire, avec un drôle de toit et des rideaux qu'on voyait mal, rien de plus.

Le père revint vers l'arrière et s'arrêta. Il frappa avec son doigt, comme pour qu'on dise « entrez », et Michel vit qu'il y avait un coffre noir, au fond du véhicule. Le père tourna une poignée, et Michel vit qu'il y avait une poignée. La planche du coffre s'abattit et il en tomba un marteau, des tenailles et des clous. Puis le père se hissa sur la pointe des pieds et il passa sa main à l'intérieur du corbillard. Michel, très attentif, vit la main du père ressortir sous le plancher, près de la roue, et c'était si drôle à voir qu'il crut que c'était pour rire un peu.

— Manque une planche, dit le père en retirant sa main sans rire.

Il disparut un instant dans la pénombre, et revint avec une planche dans la main. Puis il grimpa sur les rayons de la roue, s'agrippant aux rebords, et la roue avança de quelques centimètres.

— Ho! cria le père.

Il déplaça son pied, et la voiture se mit à reculer.

— Ho! cria Michel.

— Quoi? Y a point de cheval! dit le père furieux. Tu ferais mieux de m'aider.

La voiture s'immobilisa et le père resta suspendu,

les mains crispées, les pieds rivés, le derrière tendu dans le vide.

— Ben quoi? fit-il impatienté.

Michel s'approcha, mit ses mains sous les fesses du père, et fit « rrrran » pour le soulever. Le père enjamba le rebord, et disparut à l'intérieur du corbillard.

Il y eut un bref silence, et Michel tendit l'oreille, inquiet, guettant inconsciemment, le pied, la jambe, ou le corps tout entier, à l'endroit où, tout à l'heure, passait la main. Enfin des pas résonnèrent, et Michel respira.

— Donne-moi le marteau.

Michel prit le marteau, se faufila entre les deux roues et passa la tête par la planche absente.

— Le v'là.

— Donne-moi les clous.

Michel recommença.

— Donne-moi les tenailles.

Michel se cogna la tête parce que son père avait remis la planche en place. Il rampa un peu, puis se redressa, et passa les tenailles en grimpant sur la roue. Puis il s'écarta un peu pour mieux observer.

Son œil s'était accoutumé à l'obscurité mais le corbillard, c'était toujours une voiture noire avec un toit et des rideaux...

— C'est pas beau un corbillard, fit-il.

Il s'approcha de nouveau.

— Puis c'est bien trop grand.

Il y avait deux grandes roues à l'arrière, deux petites roues à l'avant, et le drôle de toit haut perché, à croire qu'on baladait les morts debout.

— Si c'était moi, je mettrais un moteur.

Le père bafouilla quelque chose et le bruit du marteau retentit violemment.

— ...un moteur avec un tuyau. Ça ferait de la fumée.

Le bruit du marteau cessa, et Michel attendit un ordre. Mais l'ordre ne vint pas, et le bruit du marteau reprit.

— J'aime mieux un rouleau à vapeur, dit Michel.

Il y eut un léger grincement, et la porte de la remise, d'elle-même, s'entrouvrit faiblement. Un rayon de soleil s'infiltra, aveuglant, et quelque chose se mit à luire sur le côté du corbillard.

— Hé! fit Michel étonné.

Il fit un pas en avant et toucha du doigt l'objet brillant. C'était une petite croix mal vissée avec Jésus-Christ mal lavé, plein de poussière sous les bras, sous les pieds, dans les oreilles, Jésus-Christ tout petit avec une barbe.

— Qu'est-ce qu'il y a? fit la voix du père.

— Rien, dit Michel. C'est pas mal un corbillard.

Michel retira son doigt, suça son pouce, battit vivement des paupières, et fixa longuement son regard sur le crucifix. Il tenait juste par deux vis mal assujetties, une en haut, une en bas.

— Ça serait pas dur, dit Michel tout haut.

Puis il contourna la voiture, et s'arrêta face au côté opposé. Jésus-Christ était là aussi, un peu plus propre, sur une croix plus sale. Michel introduisit son ongle dans la vis supérieure, et constata qu'elle tournait aisément dans un trou trop large. Michel eut un curieux sourire.

— Qu'est-ce que tu fais?

Michel s'écarta vivement.

Je fais rien.

Il s'éloigna un peu vers la porte et entendit son père qui descendait avec des « han! » et des « hein! » et puis plus rien.

— C'est fini? demanda Michel.

Le père replaça les outils dans le coffre arrière et répondit :

— Je crois. T'as rien vu qu'allait mal?

— Non, dit Michel sans hésiter.

Lourdement, le père avança vers la porte, et Michel lança un dernier coup d'œil au corbillard. Il allait sortir quand son regard revint vivement sur le drôle de toit.

— Qu'est-ce que c'est, là-haut?

— C'est une lettre. Tu sais pas lire?

— Ben si. Même que c'est un « D ». C'est pour quoi faire?

— Ça veut dire que celui qu'est mort, il commence par un D.

— Georges?

— Dollé.

— C'est bien inventé un corbillard.

Le père poussa Michel devant lui et tous deux sortirent, les yeux fermés au grand soleil.

Ils marchèrent rapidement vers la ferme, parmi les tartes aux mouches et Michel dit plusieurs fois :

— C'est beau un corbillard.

Arrivé devant la maison, Michel ralentit, hésita, laissa son père s'éloigner un peu et demanda de loin :

— Je peux-t-y aller chercher la Paulette?

— Faites pas de bêtises, répondit le père. Et Michel s'enfuit à toutes jambes.

— Te v'là, avait dit Berthe.

— Oui, me v'là, avait répondu Francis.

Puis il avait posé son vélo à l'ombre d'un buisson, et rejoint Berthe près des vaches. Le pré s'étendait légèrement en contrebas de la route, protégé par quelques arbustes épineux, entremêlés, et de là, on voyait la plaine jusqu'au hameau, jusqu'au ruisseau, jusqu'à l'horizon à droite, jusqu'à l'horizon à gauche.

Berthe et Francis s'étaient assis côte à côte au pied d'un taillis plein de petits fruits violets, et longuement, ils étaient restés immobiles, silencieux. De temps à autre, Berthe interpellait une de ses vaches, sans raison, pour dire quelque chose. Les yeux fixés à l'horizon, ils avaient vu Paulette se livrer à un curieux manège. Tout d'abord, elle avait disparu derrière le rideau d'arbres qui bordait le ruisseau, puis plusieurs fois, elle en était sortie, avec précaution, faisant quelques pas dans le champ voisin, se courbant, se relevant, se courbant comme pour cueillir des fleurs, et disparaissant à nouveau derrière les arbres. Enfin, d'un pas décidé, Paulette était revenue vers eux à travers champs, contournant la chapelle, et les avait observés longuement, les mains derrière le dos, immobile.

— Laisse-nous tout seuls, avait dit Francis.

Et Paulette s'était éloignée pour s'asseoir, solitaire, au milieu des épines et des petits fruits violets.

Puis Francis avait tiré un morceau de pain de sa poche et un morceau de fromage. Il en avait offert la moitié à Berthe qui avait refusé, et tranquillement s'était mis à manger.

— Y a plus d'amours? dit Michel du haut de la route.

Francis se retourna la bouche pleine, mais Michel enchaîna :

— Où qu'elle est la Paulette?

— Là-bas, derrière.

Michel releva la tête et vit Paulette debout, droite, au bord de la route, un grand sourire dans les yeux. Michel la prit par la main, sans trop trembler, et au galop il l'entraîna vers le hameau.

— Demain, on mangera de la tarte, dit Michel en poussant la porte de la remise.

Il souffla un peu et ajouta :

— C'est le corbillard.

— Pour quoi faire?

— Tu vas voir.

Michel avança à tâtons vers la voiture.

— Viens voir.

Paulette s'approcha à son tour et tous deux s'immobilisèrent devant le crucifix.

— Un bonhomme, dit Paulette.

— C'est Jésus-Christ.

Michel entraîna Paulette de l'autre côté et lui montra la seconde croix.

— Y a pas besoin de faire des croix, dit Michel.

— Pourquoi?

— Tu veux pas celles-là?

On entendit un petit bruit dans un coin sombre, un petit bruit de souris, mais Paulette ne bougea pas.

— Y en a que deux, fit-elle.

Michel ne répondit rien. C'était vrai. Il se dirigea vers le coffre arrière et en fit jouer la poignée, puis revint avec un tournevis. Paulette restait figée devant le bonhomme.

— Il a de la barbe. C'est son père.

Elle se tut un instant et ajouta :

— Si j'avais un père, je voudrais bien qu'il ait de la barbe. C'est doux, puis c'est chaud...

Sur la route, quelqu'un passa avec un bruit de sabots.

— Va voir s'il ne vient personne, dit Michel.

Paulette se campa près de l'entrée, observant la route par la porte entrebâillée.

— Moi, si j'avais un père, dit Michel, je voudrais pas qu'il ait de la barbe.

Paulette se retourna et vit Michel occupé à dévisser le crucifix.

— Si j'avais un père, reprit Michel...

Un instant Paulette l'oublia. Dans sa tête avaient surgi soudain, des pieds, des jambes, avec des taches de fruit, un loup casqué, des éléphants, des lions, des fourmis, des baleines, des oiseaux, des poissons, en procession, des cris, des injures, Mariette, Toinette, Marie, Nicole, et jamais Paulette, de la bave sur les lèvres, des chiens morts ou boiteux, et puis papa tout raide. Cela remuait, cela dansait, cela cognait dans sa tête... Il y avait des gens qui marchaient, des gens qui hurlaient, du sang sur les pieds, groseille, framboise, tomate, des curés tout noirs, interminablement, au nom du Père, des ronds dans l'eau, M. Dollé qui s'envolait, papa qui s'envolait, des croix qui tournaient sur leurs têtes, papa qui jouait au grand loup, rasant la route à toute allure, avec une barbe neuve balayant la poussière, projetant dans les fossés, dix papas, cent papas, mille papas sans barbe, avec des taches de fruits...

— Si j'avais un père, disait Michel...

Paulette sursauta. Michel était juché sur le toit du corbillard, minuscule tout en haut...

— Qu'est-ce que tu fais?

— Je prends la lettre. Comment qu'il s'appelait ton chien?

— Je sais pas.

Michel jeta la lettre à terre, et descendit de son perchoir. Puis il ramassa un vieux chiffon troué, et soigneusement, en enveloppa les objets volés.

— On peut le baptiser « Dick », dit Michel.

Paulette ouvrit des yeux immenses :

— Oui, on va le baptiser, dit-elle avec ferveur.

Elle eut un mouvement de tête, très vif, pour regarder Michel. Mais Michel paraissait soudain soucieux. Il soupesa plusieurs fois la lettre et les croix dans le chiffon sale, et dit en penchant la tête :

— C'est pas beaucoup, hein?...

Les Dollé, père et mère et fils et filles, avec des cousins, des cousines, des tantes et des oncles, et Paulette, formaient un long cortège derrière le corbillard. En tête venait Joseph habillé de blanc, avec un enfant de chœur du bourg voisin, et tous deux avançaient en marmonnant. Muriel était très digne, sur son siège avec un fouet tout droit, et de temps en temps, il se retournait pour voir si ça suivait.

Ça suivait.

Il y avait le père, la mère, Berthe, Renée, Daniel, Raymond et Michel qui tenait Paulette par le petit doigt, et puis derrière, tout le reste. Ça faisait une grande procession qui avançait lentement, parce qu'il faisait chaud, parce qu'on n'était pas pressé, et puis, tout de même, parce que c'était l'enterrement.

Michel, impatient, regardait à droite et à gauche, et Paulette intimidée regardait droit devant elle. Un instant elle tourna la tête, parce qu'on passait devant le bistrot et qu'il y avait sur le mur un curé blanc et un curé rouge qui faisaient la course avec une bouteille sur un plateau, et comme elle s'arrêtait, Michel la tira légèrement par la main.

Devant l'église, quelques poules se sauvèrent en battant des ailes, et le corbillard s'arrêta. Les père, mère, cousins, cousines, continuèrent à marcher jusqu'à former un groupe compact autour de Joseph. Le père demanda :

— C'est-y la peine de le rentrer?

— Voyons, voyons, fit Joseph réprobateur.

Le père se tourna vers la famille :

— C'est à cause de la planche. Je sais pas si c'est bien solide ce que j'ai fait hier. Alors si on est tout le temps à le retirer, à le remettre, à secouer, par-dessus, je sais pas si ça tiendra jusqu'au bout.

— Allons, allons, fit encore Joseph...

Le groupe se dispersa et les femmes entrèrent à l'église. Daniel, Raymond, et deux cousins descendirent le cercueil, le hissèrent péniblement sur leurs épaules, et lentement s'avancèrent, derrière Joseph et l'enfant de chœur, avec Michel et Paulette trottinant comme deux chiens de garde. Les autres hommes suivirent, et le père, le dernier, fit quelques pas. Puis il s'arrêta, inquiet, se gratta la tête en soulevant son chapeau, un beau chapeau noir. Il resta là, planté quelques secondes, et brusquement fit demi-tour. Il se dirigea droit vers le coffre arrière du corbillard, en sortit un marteau et des clous, et se mit en devoir de consolider la planche.

Comme il achevait son travail, un troupeau de vaches passa, suivi de Marcelle et Jeanne Ganard, et les deux sœurs se poussèrent du coude en ricanant. Le père, furieux, les regarda disparaître en grommelant des injures, puis il alla ranger les outils dans leur coffre. Satisfait malgré tout, il se recula un peu pour contempler la voiture, comme si tout entière elle eût été son œuvre, et lentement il en fit le tour. Soudain, il s'arrêta, interdit :

— Ça alors!...

Un crucifix manquait. A sa place, il y avait une marque grise en forme de croix, et deux traces de vis, vides. Le père s'épongea le front. Puis il contourna la voiture et vint constater que l'autre crucifix manquait également.

— Ça alors...

Plusieurs fois, il fit la navette entre les deux côtés du véhicule, et s'arrêta pour réfléchir.

— C'est qu'on les a perdus...

Il lança un bref coup d'œil vers la porte de l'église, hésita, et repartit vers la ferme, regardant le sol, traînant ses pieds dans la poussière.

— Combien que t'en trouves? demanda Paulette.

— Quinze, dit Michel. Et toi?

— Je sais pas compter.

— Chut! dit la mère.

Paulette et Michel étaient assis sur un banc côte à côte, sans prêter attention aux gestes de M. le curé.

— Seize! cria Michel tout bas.

— Où ça! fit Paulette.

— Là-bas.

Michel désigna un crucifix sur un pilier. M. le curé dit quelque chose tout haut. Il y eut un grand remous et tout le monde s'agenouilla.

— Regarde! dit Paulette en montrant un trou dans le plancher.

— Ça doit être un rat, répondit Michel.

Puis il releva la tête :

— Dix-sept!

— Oh! dit Paulette émerveillée.

Au bout d'un chapelet pendait une petite croix en or, que des mains de femme prenaient, lâchaient, caressaient inlassablement, et cela brillait de mille feux dans l'ombre.

— Elle est petite, dit Michel un peu dédaigneux.

— Oh! ça serait bien pour une abeille! protesta Paulette.

Soudain l'enfant de chœur agita une petite sonnette et Paulette regarda Michel, étonnée.

— Faut baisser la tête, dit-il.

Tout le monde baissa la tête en silence, et les yeux de Paulette cherchèrent à nouveau le trou du rat. Au pied d'une chaise vermoulue il y avait une longue procession de fourmis. Paulette eut un grand sourire, et doucement elle poussa le coude de Michel. Et soudain, Michel faillit rire aux éclats, saisir Paulette par le cou, l'embrasser, l'étouffer... Paulette lui montrait des fourmis, Paulette lui offrait ses trésors, Paulette souriait devant lui, et lui demandait de sourire avec elle.

Il voulut dire quelque chose :

— On peut pas les enterrer, c'est trop petit.

— Si, dans une boîte d'allumettes!

A nouveau il eut envie de rire, mais Paulette était devenue grave.

— Mais faut attendre qu'elles soient mortes, ajouta-t-elle.

L'enfant de chœur, à nouveau, agita la clochette et les têtes se relevèrent. Puis il se passa quelque chose que Paulette ne comprit pas, et tout le monde se leva.

Dans l'allée, des gens s'alignèrent et avancèrent un par un, vers M. le curé.

— On va embrasser le Bon Dieu, expliqua Michel.

Paulette écarquilla ses grands yeux et chercha autour d'elle, mais Michel la poussa légèrement devant lui. Elle se retourna vivement, en une seconde à peine, et Michel vit qu'elle riait en silence. Derrière lui, la voix de la mère grommela :

— Qu'est-ce qu'il fait, le père?

Paulette pencha la tête, pour voir si son tour arrivait, et Michel lui tira les cheveux, tout doucement, pour jouer sans faire mal. Paulette se tourna brusquement, fixa Michel, secrètement révoltée, de ses grands yeux du premier jour et Michel rougit jusqu'aux oreilles. Il sentit sa gorge se serrer, et observa, subitement angoissé, les cheveux, la nuque, le dos de Paulette, plus raides, plus figés, qu'ils n'avaient jamais été.

Un hurlement retentit soudain dans l'église :

— Michel!

Il y eut une seconde de grand silence, et toutes les têtes se tournèrent vers la porte, sauf celle de Paulette. Le père était là-bas, sur le seuil, les mains sur les hanches. Des rumeurs confuses succédèrent au silence et le père insista :

— Michel! Viens voir un peu!

Michel hésita, espérant un peu que Paulette tournerait la tête. Mais Paulette ne bougerait pas. Mortifié, il s'éloigna lentement, se retourna encore une fois, et comme il sentait ses larmes toutes proches, il s'élança soudain au galop.

Le père l'entraîna dehors et lui montra le corbillard :

— Je t'avais demandé si quelque chose allait mal?

Michel regardait la voiture, puis son père, du coin de l'œil.

— Y a rien qu'allait mal, fit-il un peu craintif.

— Et les croix?

Michel se sentit rougir, et il tourna la tête. Une seconde, il eut devant les yeux la nuque de Paulette immobile, son dos, ses cheveux... Il fit un gros effort.

— Les croix? Elles allaient bien.

— Où qu'elles sont alors?

— Je sais point.

Michel s'écarta et fit semblant d'examiner le corbillard.

— Hélà! fit-il soudain. Y a plus de lettre!

Le père était abasourdi.

— Ça alors...

— On les a peut-être perdues, proposa Michel.

— Non, j'ai été voir.

— Alors, c'est un coup des Ganard.

Le père suffoqua :

— Saloperie, saloperie de saloperie...

Mais déjà, des cousins, des cousines apparaissaient au seuil de l'église.

— C'est bon. On verra ça plus tard.

Les cousins et cousines s'avancèrent, et la porte s'ouvrit à deux battants pour faire place au cercueil. Michel guettait Paulette, nerveux, inquiet, tremblant de tous ses membres, et tout à coup il vit Paulette courir à lui :

— J'ai vu la croix de M. le curé. C'est juste pour un rat pas trop gros.

Michel regarda Paulette plein d'admiration, et il

voulut sourire. Il avait eu peur, très peur de son geste stupide, mais Paulette n'était pas fâchée. Le sourire de Michel trembla un peu et deux larmes coulèrent de ses yeux. Paulette parut très étonnée. Elle fixa Michel un long moment, et à son tour eut un grand sourire pour consoler Michel. Alors Michel se mit à pleurer, et dans ses larmes soudain, éclata de rire...

Il n'y avait pas un brin d'ombre au cimetière et la famille Dollé cuisait au soleil, tout autour d'un grand trou.

Il y eut un grand silence et le père s'épongea le front.

— V'là tout...

Deux femmes chuchotèrent quelque chose, et Joseph distraitement chercha sa poche. Mais aujourd'hui, il n'avait pas de poche. Il passa sur son front en sueur, une main tiède et moite, se recueillit un instant, et lentement son regard fit le tour de la famille.

— Puisqu'il n'est pas d'orateur, permettez-moi d'adresser quelques mots à la famille douloureusement éprouvée, à tous, petits et grands...

Tout le monde se fit attentif, et le père prit une attitude avantageuse. Joseph faisait un discours. Il allait dire que Georges était un gars bien brave, d'une bonne famille, bien élevé, courageux, vertueux, poli, dévoué, comme son frère, comme sa mère, comme son père, qu'avait eu tant de mal à l'élever, que les enfants coûtaient bien cher par les temps qui courent, qu'il avait du mérite et bien du dévouement...

La mère, elle, donnait quelques signes d'impatience : il faisait chaud, on savait bien ce que Joseph allait dire, il radotait comme d'habitude, en faisant des grands gestes, des grandes phrases et des coups d'œil en dessous. Quant à Berthe, elle cherchait Michel du regard. Si elle pouvait voir Francis, ça serait chouette, quand tout le monde serait au bistrot...

Mais Michel et Paulette étaient loin du grand trou. Tout au bout du cimetière, ils circulaient lentement entre les tombes, s'arrêtant çà et là, longuement, dénombrant les croix, les touchant du doigt, les convoitant du regard...

— Un cheval, dit Paulette désignant une croix en pierre.

— Un moineau, dit Michel en montrant un crucifix.

Et longuement ils poursuivirent leur inspection. Ils marchaient quelques pas, s'arrêtaient, revenaient.

— Une bique;
— un pigeon;
— un veau;
— une puce;
— un poussin;
— un cochon;
— un serpent;
— un rat;
— un âne.

Ils arrivèrent devant une haute croix en pierre.

— Une girafe! s'exclama Paulette.

Et quand ils revinrent à la tombe de Georges, ils ne trouvèrent plus personne.

Michel fut un peu inquiet, puis il pensa qu'on les avait oubliés. Personne n'avait appelé, personne n'avait crié... Maintenant ils devaient être chez Muriel, avec des pernods, des mandarins, et des mouches plein la table, sur les ronds de bouteille... Rien à craindre, pensa Michel, et lentement ils prirent le chemin du hameau. Ils marchèrent en silence quelques dizaines de mètres, et Michel prit le doigt de Paulette dans sa main, puis en silence, ils continuèrent. Il y avait mille choses pour les distraire, sur la route, dans les champs, dans les haies, mais ils marchaient sans rien voir, pensifs... Ils arrivèrent à la chapelle et Paulette s'arrêta soudain :

— Oh! celle-là, si elle est belle.

Michel leva le nez vers la croix qui ornait le vieux toit, plein d'herbe et de mousse...

— On pourra jamais l'avoir, dit Michel dépité.

— Viens plus près, insista Paulette.

Ils avancèrent vers les vieux murs et s'immobilisèrent. Au pied d'un arbre quelque chose renifla soudain. Paulette se retourna vivement et vit, assis dans l'herbe, l'enfant de chœur qui pleurnichait.

— Qu'est-ce qu'il a le petit curé? demanda-t-elle.

Michel s'approcha.

— Qu'est-ce que t'as à chialer?

L'enfant de chœur essuya ses yeux dans ses manches blanches :

— Ils n'ont pas voulu de moi dans la voiture.

— T'es fou? demanda Michel. Quelle voiture?

— Le corbillard. Ils sont tous montés dedans pour repartir. J'arrivais avec le curé. Alors ils l'ont fait monter, et puis pas moi...

Les trois enfants se dévisagèrent un long moment et l'enfant de chœur renifla encore.

— T'as qu'à te venger, proposa Michel.

Paulette regarda Michel, puis l'enfant de chœur.

— T'as qu'à te venger, dit-elle.

— C'est pas dur, appuya Michel. Moi je sais.

L'enfant de chœur leva le nez vers Michel intrigué.

— Le Joseph veut pas qu'on rentre à l'église quand il n'est pas là? demanda Michel.

— Non, dit l'enfant de chœur.

— T'as qu'à y rentrer.

— Oui, dit Paulette.

L'enfant de chœur les regardait à tour de rôle sans comprendre.

— Il a peur, dit Michel à Paulette.

— Peuh! fit Paulette.

Il y eut un petit froissement d'herbe et Paulette cette fois tourna vivement la tête. Elle ne vit rien, et son regard revint à nouveau sur Michel.

— Peuh!

— Nous, on veut bien te venger si t'as peur, avança Michel. Comment qu'on peut rentrer dans l'église?

— C'est pas dur, mais faut savoir.

— Viens nous montrer!

L'enfant de chœur hésitait. Et soudain son regard rencontra les grands yeux de Paulette, ni gais, ni tristes, ni hostiles, figés, deux grands yeux simplement prêts à dire « peuh! » encore une fois.

— Me regarde pas comme ça.

Paulette ne bougea pas.

— Faut que tu viennes, reprit Michel.

L'enfant de chœur eut pour lui un bref coup d'œil, puis fut attiré à nouveau par les yeux de Paulette.

— Peuh.

Incommodé, il remua les jambes, se tourna sur lui-même et plongea sa tête dans ses mains. Entre ses doigts, il observa encore Paulette, et vit son regard toujours figé, et brusquement il se mit à sangloter.

— Lève-toi, dit Michel.

L'enfant se leva et fit quelques pas. Paulette le suivit des yeux, et Michel, heureux, sautilla sur place.

— Suis-nous, dit Michel.

— Marche devant, ordonna Paulette.

Le père Dollé insista, buté :

— Je te dis que c'est un coup des Ganard!

Muriel lâcha prise :

— Peut-être bien, après tout.

Puis son regard fit le tour de la table. C'était la tournée générale, comme au jour de la grand-mère. Tout le monde était là, sauf la Berthe et les enfants, et personne ne songeait à s'en inquiéter. Ça faisait quand même bien du monde.

— Avez-vous des preuves? demanda Joseph.

— Y a ces garces de filles qui sont passées pendant que je réparais. Eh bien, elles ricanaient...

Daniel et Raymond ricanèrent eux aussi en hochant la tête.

— Il nous en veut.

— Il dit que je suis déserteur.

— Parce que j'ai fait la charité à la Paulette. Il a peur qu'on me donne une médaille.

— Le Francis est bien plus déserteur que moi.

— C'te pauvre Georges.

— Si bon gars.

— Sa pauvre mère.

— Son pauvre père.

— Et ses frères!

— Et sa sœur.

— Ganard la vache.

Et les verres se vidèrent, virevoltèrent dans les mains, dans les bouches, sur la table, sous la table, quelques-uns en morceaux, débordèrent, trébuchèrent, se choquèrent, s'échangèrent. Dollé toussa, bafouilla, déclama, cracha, s'essouffla, trépigna, furieux, révolté, désolé, en sueur, en nage, en transe. Les mouches s'envolèrent, tournoyèrent, ronronnèrent, se posèrent sur la table, sur les verres, sur les nez, sur les bouches, sur les joues, sur les mains, et chacun battit des mains et grimaça des joues, de la bouche et du nez, piqué, chatouillé, énervé, excédé, même Joseph. Nom de Dieu, cré vingt Dieux, feu de Dieu, dans la bouche des Dollé, et puis Jésus-Marie dans la bouche de Joseph. Et puis du mandarin dans la bouche de tout le monde, du Pernod, du vin blanc, du vin rouge, du Picon, du vin doux, du poiré, du mousseux, du tabac plein la table en paquet pour fumer, en grosses boules pour chiquer, et en poudre pour priser, et un grand nuage bleu, aveuglant, suffoquant dans un rayon de soleil. Hurlements, beuglements, gémissements et conseil de famille : on leur casserait la gueule aux Ganard, sûr et décidé.

— Faut que je rentre, dit Berthe. Ils vont être là.

— On se reverra, dit Francis.

— Pour sûr.

Berthe avait faussé compagnie à la famille en sortant du cimetière, disant qu'elle avait peur de monter dans le corbillard. Le père avait protesté que la planche était solide à présent, mais Berthe avait dit qu'elle craignait, non la planche, mais les morts qui s'y étaient trouvés. C'est bien ça les femmes avait répondu le père, et Berthe était revenue tout doucement à pied, espérant secrètement voir apparaître Francis. Francis l'avait confusément deviné, et il s'était promené à vélo dans le village, une heure durant. A la fin ils s'étaient rencontrés.

Dissimulés par le mur de l'église, ils échangèrent sans conviction de longues phrases embrouillées, inutiles, et très vite ils épuisèrent la conversation.

— Dimanche, on se verra.

— C'est la messe.

— Justement.

Soudain, ils entendirent un bruit de porte qu'on remuait et des voix d'enfants qui s'approchaient.

— On saura.

— C'est pas dur.

— Va-t'en maintenant.

— Je veux aller avec vous.

— On veut pas.

— Va-t'en.

Michel, Paulette, et l'enfant de chœur apparurent au coin du mur et s'immobilisèrent stupéfaits. Brusquement l'enfant de chœur fit demi-tour et s'enfuit à toutes jambes. Paulette resta figée, et Michel hésita. Puis il avança vers le couple et proposa :

— Si vous ne dites rien, on ne dira rien non plus.

— Nous, on dira rien, promit Berthe.

Michel eut un petit sourire, puis il revint vers Paulette.

— Ils ne diront rien, tu sais.

Il la prit par la main et l'entraîna derrière le mur. Francis et Berthe tendirent l'oreille.

— Demain c'est le catéchisme, dit la voix de Michel. Tu viendras, le Joseph l'a dit.

— Avec une brouette? demanda Paulette.

— Avec une brouette puis des sacs, pour qu'on voie pas. Moi je pousserai la brouette et toi tu ramasseras des bestioles.

— Oui. Je regarderai partout où passera la roue. Seulement fais pas exprès de les écraser.

La voix des enfants s'éloigna, puis s'estompa doucement.

— Ça sera lourd la brouette...

— Elles sont pas toutes en or...

Il y eut un petit coup de vent, un léger froissement de feuilles, et tout fut silencieux...

« Antonin Magne », pensa Joseph en pédalant à toute allure.

La route descendait légèrement et Joseph rentra sa tête dans les épaules. C'était une grande étape du Tour de France, avec des montées, des descentes, des cols, et la foule des suiveurs. Dans la montée du Galibier, Joseph s'était échappé dans un élan irrésistible et maintenant c'était la grande descente, une longue route en lacets, avec de longs virages et des coudes imprévus. Joseph fit des zigzags sur la route rectiligne. A bonne allure il arriva près de l'église, freina, stoppa, et sous les acclamations d'une foule absolument délirante, il mit pied à terre. Radio-reporters et journalistes se ruèrent à sa rencontre.

— B'jour, monsieur l'abbé, dit l'enfant de chœur.

— Bonjour, Pierrot, dit Joseph essoufflé.

— Vous allez vite en vélo, dit Pierrot.

— Ah! ah! dit Joseph satisfait.

Joseph secoua sa soutane blanche de poussière, puis il se tourna vers Pierrot :

— As-tu fait le ménage?

— Je peux pas, c'est fermé.

Joseph lui tendit la clef.

— D'habitude tu fais le ménage le samedi. Pourquoi n'es-tu pas venu chercher la clef hier? Ce n'est pas le dimanche à quelques minutes de l'office que l'on peut nettoyer.

— Ça ira vite, dit Pierrot pour s'excuser.

Il ouvrit la porte et entra dans l'église. Joseph, en sueur, le suivit, et s'approcha du premier pilier. Il s'assura que Pierrot ne l'observait pas, et plongea brusquement ses deux mains dans le bénitier. Puis en murmurant des paroles pieuses, il les égoutta longuement sur le carrelage, et remercia Dieu de la fraîcheur de son eau. Ses yeux, lentement, montèrent le long du pilier, s'en détachèrent, et subitement y revinrent attirés par quelque chose d'insolite. Il appela :

— Pierrot?

Tout au bout de l'église, Pierrot répondit comme à cache-cache :

— J'y suis.

— Viens voir un peu?

Lentement, craintif, Pierrot s'avança jusqu'au milieu du chœur, et, à distance, engagea la conversation.

— Qu'est-ce qu'il y a?

— Dis-moi, Pierrot, il y avait un crucifix sur ce pilier.

— Oh! oui.

— Qu'est-il devenu?

— Je sais pas.

Pierrot, rassuré, fit quelques pas en avant. Joseph demanda :

— Personne n'est entré pendant mon absence?

Pierrot stoppa net :

— Personne n'est entré.

Pierrot enjamba précipitamment quelques chaises et se mit soudain à astiquer frénétiquement de ses mains nues. Puis il ralentit peu à peu et se contenta de simuler le geste, guettant la voix de Joseph, tout au bout de l'église.

— Mais c'est du vol organisé!

Pierrot sursauta. Joseph était derrière, tout près, et il avait pris sa grosse voix. Il revint dans l'allée centrale tandis que Pierrot pivotait pour lui tourner le dos, et lentement son regard fit le tour de l'église. Chacun des piliers était gris de poussière jusqu'à mi-hauteur, avec, au milieu une petite trace blanche en forme de croix, comme la trace grise du corbillard, à la place des crucifix volés. Joseph se tourna vers Pierrot, mais l'enfant fila d'un trait jusqu'à la sacristie.

— Je vas chercher un chiffon.

Nerveusement Joseph arpenta les allées, en tous sens, révolté.

— C'est du pillage, c'est du pillage!

Vivement il consulta sa montre et s'arrêta perplexe, la tête entre les mains.

— Je confesse à Dieu, le Père Tout-Puissant, Créateur du ciel et de la Terre...

Joseph releva la tête et vit Pierrot agenouillé qui priait à mi-voix. Puis la voix de Pierrot s'interrompit soudain, parce que la paille de son prie-Dieu était percée, et c'était drôle d'y passer la main.

— Qu'est-ce que tu fais?

Pierrot se leva d'un bond.

— Monsieur le curé, je veux me confesser.

Joseph fut un instant muet, stupéfait.

— Tu n'y penses pas? Et l'office? Les fidèles vont arriver, Va t'habiller.

— Oui, monsieur le curé, je finis ma prière.

Joseph resta figé encore quelques secondes, puis il sembla prendre une décision soudaine, et se dirigea à grands pas vers la sacristie.

— ...la bienheureuse Marie toujours vierge, Saint Michel archange, Saint Michel archange, Saint Michel archange, Saint Michel, Saint Michel, Michel, marmonna Pierrot, de moins en moins fort...

— C'est en attendant, expliqua le père Dollé, c'est en attendant la croix de pierre qu'il est en train de me faire.

Toute la famille venait de quitter la ferme en troupeau. Les femmes allaient à la messe avec les enfants, les hommes allaient au cimetière pour voir la croix en bois que le père avait ramenée la veille.

— J'ai eu peur que les Boches me la prennent. Y en a plein dans le bourg, c'est tout vert. Ils prennent tout. Surtout j'avais peur qu'ils me prennent la couronne qu'est en perles, et la petite croix pour mettre dessus. C'est de l'ivoire d'éléphant. Vous verrez comment j'ai arrangé ça. J'ai planté la croix en bois dans la terre. Elle tient bien, le bout est pointu. J'ai attaché la couronne en perles avec du fil de fer, ça tient bien, et puis dessus j'ai mis la croix d'éléphant. Elle est belle, ça vient des colonies. Mais les Boches ils vont les prendre aussi les colonies. C'est de la faute aux Anglais. A moins qu'on les arrête avant...

D'un même pas tranquille, les Ganard sortirent de leur maison. Il y avait le père, la mère, les deux filles, Francis et un cousin.

— Vous allez à la messe, nous on va au cimetière, expliqua le père aux femmes. Y a le Dollé qui faisait le malin hier avec sa croix en bois. Ben moi, je suis aussi chrétien que lui, tu comprends. Je vas voir la tombe de la Juliette.

Tout en marchant il désigna du doigt les Dollé qui s'arrêtaient devant l'église :

— Regarde les voir, de quoi qu'ils ont l'air. C'est-y des chrétiens? Le Daniel et le Raymond, ils devraient-y pas être à la guerre, hein? Et le Dollé qu'est voleur, qu'envoie son gosse faucher mon herbe? Et puis sa femme qu'on dirait quasiment une jument? Et puis sa fille, la Berthe, qu'on dirait-y pas qu'elle va à mâle? Si le Joseph il était pas curé, t'en fais pas...

— Pourquoi que tu dis qu'elle va à mâle? intervint sèchement Francis en trébuchant dans ses pieds.

— Parce que c'est une pute, pour sûr, répondit le père.

— Dis donc, sois poli.

— Ma parole, tu la défends? dit la mère.

Francis s'arrêta :

— Voui, je la défends.

Le père s'emporta :

— T'aurais mieux fait de défendre la France avec tes chevaux mécaniques. Nous, en 18...

— La France, je veux pas l'épouser, décréta Francis.

Et il repartit à grandes enjambées. Le père lui emboîta le pas et le bruit de leur dispute fit tourner la tête aux Dollé. Stupéfaits et secrètement réjouis, ils les regardèrent s'approcher avec leurs femmes qui suivaient péniblement en traînant la savate, et le cousin qui ne disait rien. Comme ils passaient devant eux, Francis s'arrêta brusquement et déclara :

— Si t'es pas content, c'est pareil. Ça sera comme j'ai dit.

Il rebroussa chemin quelques mètres et se retourna en criant bien fort pour que Berthe puisse l'entendre :

— Je vas me promener. A la pêche que je vais, sur le bord de la rivière. Votre cimetière il me dégoûte.

Le troupeau s'étira, reflua, s'étira à nouveau en désordre, tourna sur lui-même, plein de rumeurs confuses et finalement se partagea en deux tronçons. Les deux hommes prirent la route du cimetière, et les femmes avancèrent vers l'église, frôlant le troupeau Dollé toujours immobile. Les femmes suivirent les femmes des yeux, sauf Berthe qui regardait Francis au loin, et les hommes se penchèrent, pour suivre les hommes du regard, un peu surpris.

— Qu'est-ce qu'ils vont faire au cimetière ? demanda Daniel.

Le père murmura quelque chose entre ses dents et Raymond approuva de la tête. Michel regarda son père, puis Paulette, puis Raymond, puis Paulette, puis Daniel, puis Paulette, puis sa mère, puis Paulette, Paulette qui regardait Michel inlassablement, et Michel esquissa un sourire un peu forcé.

Puis à son tour, le troupeau Dollé se dispersa et les femmes entrèrent à la messe.

Joseph était déjà là, faisant des grands gestes devant son coffre en or, sur son estrade en pierre, avec Pierrot qui balançait le petit machin qui pue en faisant de la fumée. Les femmes s'agenouillèrent pour faire au nom du Père et psch, psch, psch, psch, psch, et Paulette se boucha le nez en regardant autour d'elle. Son regard s'arrêta sur le confessionnal : c'est de là, qu'hier, elle avait téléphoné aux gendarmes pour faire peur à Michel, qui décrochait les croix : « Allô, allô, monsieur le gendarme? » Mais Michel n'avait pas compris et elle avait dû en rire toute seule.

Maintenant, Paulette ne riait plus. Elle glissa un coup d'œil à Michel, et le vit un peu inquiet, observant furtivement les piliers dénudés de leurs ornements, et les traces blanches en forme de croix.

— Ça se voit, dit Paulette à voix basse.

Michel ne répondit pas, mais il regarda Joseph, qui écartait les bras les yeux fixés au ciel. Anxieux, les deux enfants attendirent que le regard de Joseph descendît quelque part. Mais Joseph ferma soudain les yeux et l'inquiétude de Michel redoubla. Il connaissait bien Joseph : il regardait en l'air, fermait les yeux, et quand il les rouvrait, son regard était fixé sur vous, sur votre nez sale, ou sur l'accroc de votre pantalon. Joseph entrouvrit les paupières, les yeux toujours au ciel, à nouveau les baissa et Michel s'impatienta. Il traîna son pied sur le plancher, heurta quelque chose du talon et se pencha pour y voir un bout de bois comme un autre. Comme il relevait la tête, Joseph ouvrit les yeux le regardant fixement. Michel rougit violemment, et soudain Joseph arrêta son office, le doigt pointé vers Michel. Paulette raidit sa tête, son buste, son regard, et Michel sentit sa chair se glacer. Joseph fit un petit geste du doigt et Michel se leva, fasciné. Lentement Joseph baissa son bras.

— Eh bien? eh bien? fit-il.

Michel tremblait de tous ses membres.

— Ben quoi? retire ton béret! dit la mère.

Vivement Michel porta la main à sa tête et vit qu'il avait oublié de se découvrir en entrant. Il ôta sa coiffure et retomba sur sa chaise, haletant, en sueur, tandis que Joseph reprenait ses discours et ses gestes.

Le premier qui se mit en colère, ce fut le père Ganard. Le Joseph, lui, ne s'était pas fâché. Il avait été intrigué, choqué, bouleversé, dignement, et il avait dit simplement : « C'est du vol, c'est du pillage. »

D'ailleurs à qui s'en serait-il pris?

Pour Ganard c'était facile. Puisqu'il n'y avait plus un crucifix sur la tombe de la Juliette, c'était Dollé qui l'avait volé, avec sa femme jument, ses fils feignants, ses filles putains. Y avait qu'eux d'abord, qui étaient venus au cimetière pour enterrer leur Georges. Y volaient de l'herbe, y pouvaient voler des croix. Qui vole un œuf, vole un bœuf. On les attacherait les bœufs, on les compterait les œufs. Capables de tout qu'ils étaient, comme les Boches, ou comme les communistes. En 18, y avait pas des fripouilles comme Dollé et on avait gagné la guerre. A pied et à cheval, sans moteur, comme Francis. Encore un qui tournerait mal. Tout du Dollé qu'il avait. C'était dur pour un père.

En marchant tout doucement, ils arrivèrent à la tombe du grand-père.

— Le grand-père? demanda le cousin.

— Çui qu'est mort, expliqua Ganard.

Le grand-père non plus n'avait plus de crucifix. Un vieux si brave qu'avait fait 70. Ça valait pas 18, mais tout de même. Tous pourris, qu'ils étaient les Dollé. Et tant qu'y aurait des guerres autant qu'on en perdrait. Sa femme Clotilde, qu'était grand-mère et cantinière n'avait plus de croix non plus, ni son oncle, ni sa tante, ni personne.

Ganard et son cousin firent le tour du cimetière, longuement, et virent soudain les Dollé épars entre les tombes qui criaient des injures. Ils étaient tous en colère, marchaient d'une tombe à l'autre, parlant d'ivoire, de croix, d'éléphant, de colonies. Puis les Dollé aperçurent les deux Ganard, et ils se rassemblèrent autour d'une croix en pierre complotant à voix basse. Les Ganard firent un grand détour pour les éviter et gagnèrent la sortie. Puis à leur tour, les Dollé se mirent en marche, sans hâte, visiblement soucieux de conserver leurs distances et le père expliqua :

— Y vont chez Muriel, on va y aller aussi.

Du haut de sa chaire, Joseph enfin, put s'indigner :

— Regardez, regardez et pensez, le sacrilège sera puni, les détrousseurs seront châtiés, car la maison de Dieu vient d'être saccagée. Ses trésors les plus humbles ont été profanés. Mais Dieu juste et puissant dictera sa justice infaillible...

Tous les fidèles écoutaient bouche bée. La mère Dollé elle-même, qui pourtant avait l'habitude de ne pas très bien saisir les discours de Joseph, en était ahurie.

Au début, Joseph avait parlé des mœurs, des païens, des sans-Dieu, des laïques avec leurs écoles, qui avaient perdu la France. Qui n'a pas de Dieu n'a pas de morale, qui n'a pas de prêtre n'a pas de morale, qui n'a pas de temple n'a pas de morale, un sans-morale est amoral, un amoral est immoral, vive la morale, et la mère Dollé avait conclu :

« Il nous fait la morale. »

Maintenant Joseph racontait des histoires sans queue ni tête, avec des mots incompréhensibles, sauf Dieu et Jésus-Christ qui revenaient toutes les dix secondes. Paulette et Michel, sans comprendre davantage, attendaient le dénouement avec appréhension.

La voix de Joseph se fit plus forte, plus grave, plus persuasive, plus pénétrée... A vrai dire Joseph était dans une grande cathédrale avec d'immenses piliers, des fidèles innombrables. Toute l'élite de la chrétienté s'était donné rendez-vous pour l'entendre, du plus riche au plus humble, extasiée, subjuguée, envoûtée. Joseph aussi était dans l'assistance, ému jusqu'aux larmes en s'entendant parler.

— Regardez les murs, regardez les piliers. Y trouvez-vous les gages de votre foi?

La tête des fidèles se tourna vers les murs et les piliers.

— Y a plus de croix! cria soudain quelqu'un.

Joseph s'arrêta net. Des chuchotements répétèrent : « Y a plus de croix, y a plus de croix... », et Michel et Paulette répétèrent eux aussi : « Y a plus de croix, y a plus de croix », en tremblant de tous leurs membres. Joseph inspecta du regard son auditoire : deux enfants, quelques femmes grotesques, quatre jeunes filles en robe rose, des chaises percées, des bancs sales... Il regarda sa manche élimée, grisâtre...

— Je vais immédiatement alerter la gendarmerie, ajouta-t-il simplement.

Le rebord de la chaire s'effritait, vermoulu... Il fit un gros effort et termina vivement :

— Dieu me pardonnera d'abréger son office, car c'est encore à son service que je vais me consacrer. *Amen.*

Il descendit les marches de bois et rentra rapidement à la sacristie, tandis que les fidèles s'en allaient un à un, un peu abasourdis...

Comme les derniers franchissaient le seuil de l'église, quelque chose fit du bruit du côté de chez Muriel. Intriguées, les femmes s'avancèrent en hâte, et soudain, un carreau du bistrot se brisa violemment. Les femmes s'arrêtèrent, repartirent, et stoppèrent encore parce qu'un litre de pernod éclatait à leurs pieds.

— Ben quoi? Ils n'ont plus soif? demanda la mère Ganard.

Des hurlements retentirent à l'intérieur du bistrot, on entendit des tables secouées, des chaises brisées, du verre broyé, des nez cassés, des yeux pochés. Un instant la tête de Ganard parut à la fenêtre, serrée au cou par les mains de Raymond, puis le crâne de Daniel qui saignait. Par la porte passa un pied, la pointe tournée en l'air, qui s'agita, se retourna, gigota, disparut, puis une main grande ouverte qui fit bonjour et s'en alla. Il y eut tout à coup un bruit d'armoire qui tombe, avec des verres, des chopines, des bouteilles, des litres et des canettes, et la mère Dollé eut une réaction :

— Berthe! cria-t-elle. Berthe! Berthe!

Mais Berthe dans la confusion s'était éclipsée, Dieu sait où.

— Michel, cria la mère, Paulette! Michel! Paulette! Michel!

Michel et Paulette accoururent :

— Y vont se tuer. Allez chercher Joseph, qu'il les sépare!

— Il est parti, dit la mère Ganard, entre deux rugissements d'homme.

— Courez après!

Paulette et Michel ne se firent pas prier. Au grand galop ils filèrent vers l'église, en secouèrent la porte et virent qu'elle était fermée à clef. Ils filèrent alors vers le bout du village, puis ralentirent, et cheminèrent sagement sur la route du bourg, la main dans la main.

Il faisait très chaud et l'horizon tremblait un peu. Il y avait de grands champs verts, de grands jaunes piqués de rouge, et des carrés de terre ocre, flanqués sur les petites collines bleutées de l'horizon, les oiseaux volaient très haut, et des grillons très loin chantaient, un peu crispants dans leur monotonie. Paulette et Michel marchaient muets. Cette promenade après l'angoisse de la messe et le tumulte du bistrot c'était un peu une délivrance, et pourtant Michel sentait sa gorge encore un peu serrée. Paulette, mécanique, marchait les yeux grands ouverts sur la blancheur de la route qui pourtant lui faisait mal, très mal. Paulette s'exerçait à supporter le mal aux yeux. « J'ouvre les yeux jusqu'à la pierre là-bas. » Arrivée à la pierre là-bas, elle trouvait une autre pierre un peu plus loin, ou un bout de bois ou un papier, ou quelque chose, n'importe quoi. Michel voulut parler, mais Paulette n'écoutait pas. Michel, tout à coup, l'incommodait, sans qu'elle eût su dire pourquoi. Elle l'avait senti peureux, craintif, quand Joseph avait parlé des gendarmes. Elle aussi, bien sûr, avait eu peur, surtout quand Joseph avait pointé son doigt sur Michel, mais vite, elle s'était raidie, contractée, prête à la révolte. Michel ne se révoltait jamais, il disait : « Oh! alors », et se mettait à pleurnicher. On avait le droit de pleurer quand on avait de la peine, quand son Toutou mourait, ou son chat, ou un veau avec des grands yeux tristes, ou un poussin tout jaune, une souris, un lapin, une fourmi rouge ou noire avec toutes ses amies qui la traînaient en jouant à l'enterrement; mais quand on vous grondait, quand on avait peur, à moins d'une gifle qui fasse saigner du nez, on n'avait pas le droit. On serrait les poings, les dents, on disait : non, non, non, non, non...

Brusquement Paulette lâcha la main de Michel.

— Donne-moi la main.

— Crrrrr...

Et puis il y avait eu les jérémiades de Joseph au sujet des croix, et tout le monde qui chuchotait : « Y a plus de croix, y a plus de croix. » Tout le monde se lamentait, comme au jour du Grand Loup sur le bord de la route, avec des gestes stupides et des grimaces de femmes...

Bientôt, ils arrivèrent au croisement de la chapelle, et Paulette s'arrêta. Elle chercha Michel des yeux et le vit à quelques mètres, arrêté, boudeur.

— Qu'est-ce que t'as? fit Paulette agressive.

Michel eut peur et, un peu lâche, il abandonna son attitude :

— On le rattrapera plus maintenant, dit-il.

Et il montra du doigt, très loin sur la route, un petit nuage de poussière blanche. C'était Joseph qui s'en allait vers le bourg...

— Il va chercher les gendarmes...

Paulette eut un sursaut et le dévisagea durement. Michel n'y prit pas garde et, fatigué, il s'affala dans l'herbe. Paulette leva les yeux vers la chapelle. Il y avait toujours la belle croix tout en haut, et puis des pierres usées, rugueuses, avec de la mousse dans les creux...

— Si j'étais lézard, j'habiterais là, dit Paulette comme pour elle-même.

Michel leva la tête lentement.

— ...je dormirais entre les pierres, et, des fois, je monterais tout en haut, pour voir la mer...

Michel se leva et vint à côté de Paulette.

— Puis y a une croix en haut, poursuivit Paulette...

— Y a qu'à attendre qu'elle tombe, dit Michel.

Paulette eut une sorte de haut-le-cœur :

— Peuh! fit-elle en s'écartant de Michel.

— Elle tient pas fort, tu sais. Quand il a fait de l'orage, l'autre jour, elle a failli tomber. Tu vois, elle penche...

— Peuh! fit encore Paulette. T'as peur.

Michel devint tout rouge, et Paulette s'emporta soudain :

— Il a peur! il a peur! il a peur! il a peur!

Elle se tourna et vit soudain la détresse de Michel. Ce qui l'avait toujours apitoyée, c'était sa grosse lèvre qui tremblait avant que ne viennent les larmes...

Paulette détourna son regard et dit très doucement :

— C'est pas haut, tu sais.

— Non, c'est pas haut, convint Michel.

Il avança doucement vers le mur et leva le nez en l'air pour regarder la croix.

— Je l'ai jamais vue la mer, moi...

Michel avança encore jusqu'au pied de l'édifice, et s'arrêta hésitant. Il y avait assez de creux et de bosses sur les pierres pour s'y agripper solidement des pieds et des mains. Et subitement Michel entreprit son escalade. Rapidement il s'éleva de quelques mètres, et s'arrêta pour regarder Paulette :

— C'est pas haut, affirma-t-elle encore.

Michel reprit son effort et difficilement cette fois, il parvint à se jucher au faîte du petit clocheton. La croix était là à portée de la main, mal assujettie, prête à tomber au premier souffle. Michel haletant regarda Paulette, minuscule tout en bas :

— Elle tient presque pas..., mais c'est haut.

— Tu vois la mer ? cria Paulette.

Michel regarda longuement l'horizon sans rien voir.

— Oui, fit-il faiblement.

Un peu de gravier fin glissa entre les pierres et Michel déplaça son pied droit. La pose était fatigante. Il voulut encore regarder Paulette, mais il lui sembla soudain que le sol se mettait à bouger. Il cria :

— Maman, ça tourne!

Et sur la route qui basculait, il vit soudain deux grandes traînées blanches qui s'approchaient à toute allure.

— Puis, v'là les gendarmes.

Il y eut encore une petite avalanche de gravier et

son pied gauche perdit prise. Les yeux fermés, il éclata en sanglots.

— Pleure pas, pleure pas, cria Paulette.

— Viens m'aider!

Paulette se mit à courir en tous sens.

— Aie pas peur! aie pas peur!

Michel fit un dernier effort pour soulager ses mains meurtries par la pierre. De toutes ses forces, il se souleva sur son pied droit, et à pleines mains s'agrippa à la croix en fer. La croix hésita un peu, grinça, puis se pencha, se descella lentement, et tomba lourdement sur le sol, entraînant Michel dans sa chute.

Paulette se sauva à toutes jambes, quelques dizaines de mètres, et revint, affolée.

— T'as mal? dis? t'as mal?

Sur la route, deux motocyclistes passèrent à toute allure sans rien voir.

En sanglotant, Paulette s'agenouilla près de Michel. Michel n'avait pas une parole, pas un geste, pas un cri, la bouche entrouverte, les yeux clos, inerte. Paulette, le visage ruisselant de larmes, regarda autour d'elle. La croix était là tout près, tachée de sang. Et soudain, au pied du buisson, elle vit une boule hirsute, un hérisson. Paulette n'avait jamais vu un hérisson de sa vie. Ses sanglots redoublèrent, elle se pencha éperdue sur le visage de Michel, le caressant, l'embrassant, l'inondant de ses larmes qui se mêlaient au sang rouge, et de longues minutes le tint serré contre sa joue.

A la fin ses sanglots s'apaisèrent un peu, et comme Michel ne bougeait toujours pas, elle desserra son étreinte, retira la pierre qui était sous sa tête et lui fit un oreiller avec de l'herbe roulée en boule. Puis elle se leva et chercha longuement une guirlande de liseron. Elle vit encore le hérisson au pied de la haie, revint vers Michel les mains chargées de fleurs, et patiemment se mit à confectionner une couronne. Elle en orna la tête de Michel et essaya d'inventer une chanson, mais l'air et les paroles lui restaient dans la gorge. Puis elle tenta de soulever Michel et trouva qu'il n'était pas trop lourd. Et le ruisseau était là, tout près, derrière les arbres...

Quand les motocyclistes arrivèrent au village, les bagarreurs sortirent précipitamment du bistrot :

— C'est des Boches! cria Ganard.

Au même moment, les deux Boches s'arrêtèrent brusquement. L'un d'eux déplia une carte routière et ils échangèrent quelques brèves paroles. Puis, satisfaits, ils remirent leurs moteurs en marche et s'éloignèrent à toute allure.

Dollé et Ganard, soudainement réconciliés par la peur, s'épongèrent le front :

— On a eu chaud.

— Qu'est-ce qu'ils voulaient?

— En 18, ils coupaient les mains des gosses.

La mère Dollé s'affola :

— Renée, va chercher le Michel et la Paulette!

Renée s'éloigna en hâte, et chacun rentra chez soi, soigner son bras, son œil, son nez, son pied, son oreille.

Une heure après, Renée fut de retour, seule. On la questionna, mais elle n'avait rien vu. Elle avait marché longtemps sur la route, bien plus loin que le cimetière, puis elle était revenue. Elle avait crié, appelé, fouillé les buissons. Simplement elle avait vu qu'on avait volé la croix de la chapelle.

— Ils seront allés au bourg, dit la mère. On va manger sans eux. Ce qui m'inquiète c'est la Berthe, où qu'elle est?

— Elle mangera froid, ça lui apprendra.

Tout le monde se mit à table et on commença de trouver drôle qu'on ait volé la croix de la chapelle. Puisque c'était pas Ganard, qui cela pouvait-il être?

Soudain Berthe fit irruption accompagnée de Francis :

— On a retrouvé les croix!

Personne ne s'étonna de la présence de Francis, qui bientôt mêla ses explications à celles de Berthe.

— Et celle de la chapelle? demanda Renée.

Berthe et Francis s'étonnèrent :

— On l'a pas vue. On l'a volée?

A son tour, Renée reprit son explication, et il fut finalement décidé qu'on irait tous ensemble, après la sieste, Ganards et Dollés, chercher les croix. On invita Francis à déjeuner, ça serait bientôt la noce.

— Ça changera de l'enterrement, plaisanta Daniel.

Francis, qui marchait devant, écarta les broussailles.

— C'est là.

Et soudain il sursauta :

— Ça alors!

— Qu'est-ce qu'il y a?

— La croix de la chapelle! on l'a plantée depuis tout à l'heure!

Tout le monde se précipita malgré les ronces qui fouettaient les visages, et chacun s'immobilisa stupéfait : il y avait là un véritable cimetière en miniature orné d'une trentaine de croix. Croix en bois, croix en fer, en argent, en bronze, en or, de toutes dimensions, et puis la croix de la chapelle, haute comme un homme, qui dominait tout. Chacune des croix était plantée à la tête d'un petit carré de terre, bordé de mousse, piqué de fleurs diverses, rouges, jaunes, bleues, mauves, coquelicots, bleuets, boutons d'or, avec un petit carton grossièrement écrit qui portait un nom d'animal : « TAUPE », « RAT », « POUSSIN », « LÉZARD », « COQUECINEL », « 3 BÊTES À BON DIEU », « 15 FOURMIS », « 6 MOUCHES ».

Sur la croix de la chapelle il n'y avait pas de cartons, ni de fleurs, ni de mousse sur le carré de terre fraîchement retournée. Simplement, au pied, était posée la lettre « D ».

— On l'a changée de place, fit Berthe. Tout à l'heure elle était là.

Et elle désigna l'un des deux crucifix du corbillard. Un long moment l'assemblée fut muette.

— Faut-y retirer sa casquette? demanda Raymond.

— Là où y a des croix, y a le Bon Dieu probable..., répondit la mère Ganard.

Et chacun se découvrit un peu gêné. Au fond, c'était tout comme un vrai cimetière...

A la fin, tout de même, il fallut se décider. Ce fut Dollé qui donna le signal. Il se baissa péniblement, et prit les croix du corbillard. Puis chacun s'efforça d'identifier les croix Dollé, les croix Ganard, les croix Joseph. Il y eut des cris, des rires, des injures, il y eut beaucoup de bruit, beaucoup de gestes, et bientôt chacun eut les bras chargés de croix. Alors Ganard se tourna vers la croix de la chapelle et demanda :

— Et la grande, qui c'est qui la prend?

Le père Dollé fit la moue :

— C'est à personne, celle-là. On peut la laisser.

Un à un, les paysans s'éloignèrent, froissant les ronces, battant les branches, et peu à peu, leurs cris, leurs rires, leurs injures s'estompèrent.

Paulette, assise au bord de l'eau, vit passer des cartons épars, qui s'en allaient à la dérive, et elle eut encore quelques larmes.

Jusqu'au soir tombant, elle resta immobile, puis elle se leva et s'éloigna à travers champs, vers la grand-route. Et comme un lièvre passait en zigzaguant, elle s'élança à sa poursuite...

DU MÊME AUTEUR

COLLECTION FOLIO

Dernières parutions

*Cet ouvrage a été composé
et achevé d'imprimer par l'Imprimerie Floch
à Mayenne le 3 décembre 1990.
Dépôt légal : décembre 1990.
1ᵉʳ dépôt légal dans la même collection : octobre 1973.
Numéro d'imprimeur : 30097.*

ISBN 2-07-036453-4 / Imprimé en France.
Précédemment publié par les Éditions Denoël.
ISBN 2-207-20280-1.